JN070167

第三世界の主役「中東」

日本人が知らない本当の国際情勢

石田和靖
Kazuyasu Ishida

アフガニスタン
イラク
イラン
クウェート
バーレーン
カタール
アラブ首長国
連邦
サウジアラビア
オマーン
イエメン
第三世界の主役「中東」

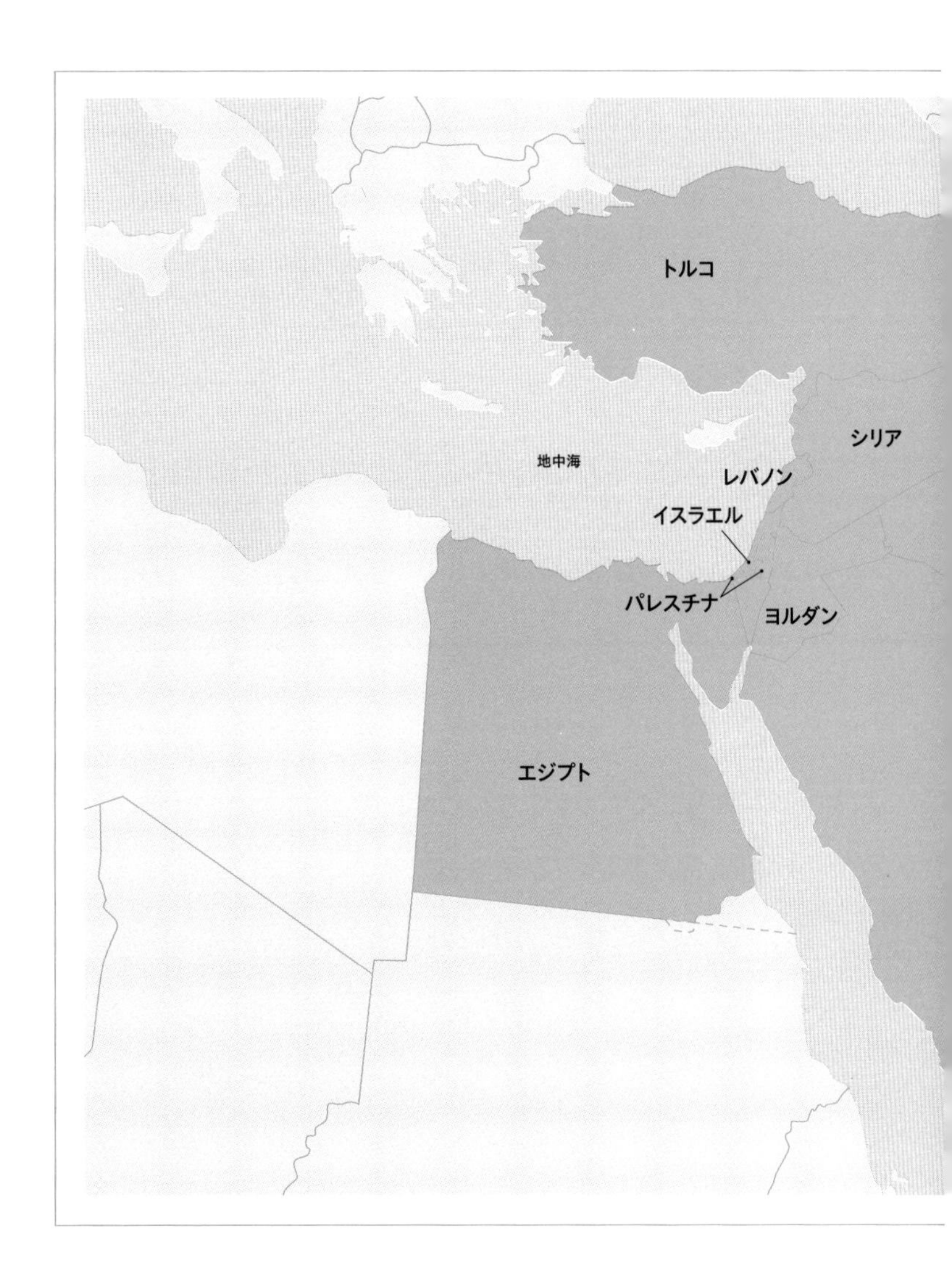
トルコ
シリア
地中海
レバノン
イスラエル
パレスチナ
ヨルダン
エジプト

はじめに

中東はこれからの世界の主役になる

なぜ、今、中東なのか？

そう疑問に思う読者の方もいると思います。

世界を俯瞰したとき、中東よりも、アメリカ、イギリス、ロシア、中国といった大国を注視したほうがいいのではないか、と考える人もいるでしょう。

僕はこれまでに、アジア・中東・アフリカを中心に、世界50カ国以上を訪問してきました。各国要人との関係を構築し、さまざまなプロジェクトを企画・主催しています。

国際情勢ユーチューバーとしても活動し、「越境3・0チャンネル」では主に中東アラブ圏の情報を発信しています。幸いなことに登録者数は20万人を超え（２０２３年

11月時点）、みなさんが中東に注目していることを強く実感します。

長年にわたって中東をウォッチングしてきた僕が伝えたいことは、**「今ほど中東に注目するタイミングはない」**ということです。中東は、今や世界の動向を考える上で欠かすことのできないプレゼンスを発揮しているのです。

２０２１年10月から２０２２年3月には、中東で初となる国際博覧会（万博）がアラブ首長国連邦（以下・ＵＡＥ）のドバイで開催され、１９０以上の国・地域が参加しました。サッカーのワールドカップも、中東のカタールで開催されています。

世界の航空業界をリードしているのは、エミレーツ航空（ＵＡＥ）、エティハド航空（ＵＡＥ）、カタール航空といった中東の航空会社です。エミレーツ航空だけで毎日3便、週21便も日本からドバイへ飛行機が飛んでいるほどです。

そして、本書のタイトルにもなっているように、**中東は「第三世界」の主役として、さらに成長していく**といわれています。

第一世界とは、資本主義世界。西ヨーロッパやアメリカ、日本も含まれます。第二世界は共産圏。かつてのソ連を中心とした、中国やキューバなどの国々です。

そのどちらにも属さない世界が第三世界です。主に中東やアフリカ、南アメリカといった南側の国々。これから、世界の中心は第三世界へ移っていくといわれます。

これまでドル覇権だった世界は今ドラスティックに変わろうとしています。「ドル決済に依存しない経済圏をつくらねばならない」それはロシアによるウクライナ侵攻での、アメリカのロシアへの経済制裁を見て多くの国々が思ったはずです。

バイデン政権によるドルの武器化は、世界のドル離れ加速への引き金を引いてしまいました。「ドルに依存しない経済圏を目

これからの世界の中心「第三世界」

多くの見解で第三世界とされる国
第三世界に含まれることがある国

※第三世界に含まれる国については諸説あり

指す」。単刀直入に言うとこれが第三世界経済圏。いわゆるグローバルサウスといわれるものです。欧米主導のこれまでの秩序を塗り替える。それが新たな第三世界であり、その流れはもう止められません。

最大のポイントは「大陸のつなぎ目」であること

このように、中東にまつわるモノや情報は、確実に日本でも目にする機会が増えています。そのことを、きっとみなさんも何となく感じているはずです。

しかし、中東と一概に言っても、その全体像をイメージすることは難しい。複雑な歴史的背景が折り重なっているため、理解のためには膨大な時間と知識が必要になってしまいます。

日本は、生活になくてはならない原油の90％以上を中東地域に依存しています。それほど身近な存在なのに、こうした取っ付きづらさもあって、どこか遠い場所として認識されているのかもしれません。

でも、よく考えてほしいんです。中東で紛争が起こったり、世界のパワーバランスにおける中東の役割が大きくなったりしたら、その影響は日本にも及ぶわけです。中東で何が起きているのかを知ることは、これからの時代を生き抜く上で、絶対に知っておくべきです。

まずは、中東を知る上での最大のポイントをお伝えします。

「中東とは、大陸のつなぎ目である」

中東は、アジアとヨーロッパとアフリカ、３つの大陸をつなぐ、地政学上、極めて重要な場所にあります。

つなぎ目にあるから、商業が栄え、争いが絶えず、新しい流れが生まれる。その複雑さをつなぎ目という視点から紐(ひも)解いていくと、中東というエリアがとても魅力的で示唆に富んだ場所だと分かってくるはずです。

・世界最古のバザールは、イランのタブリーズという街にある

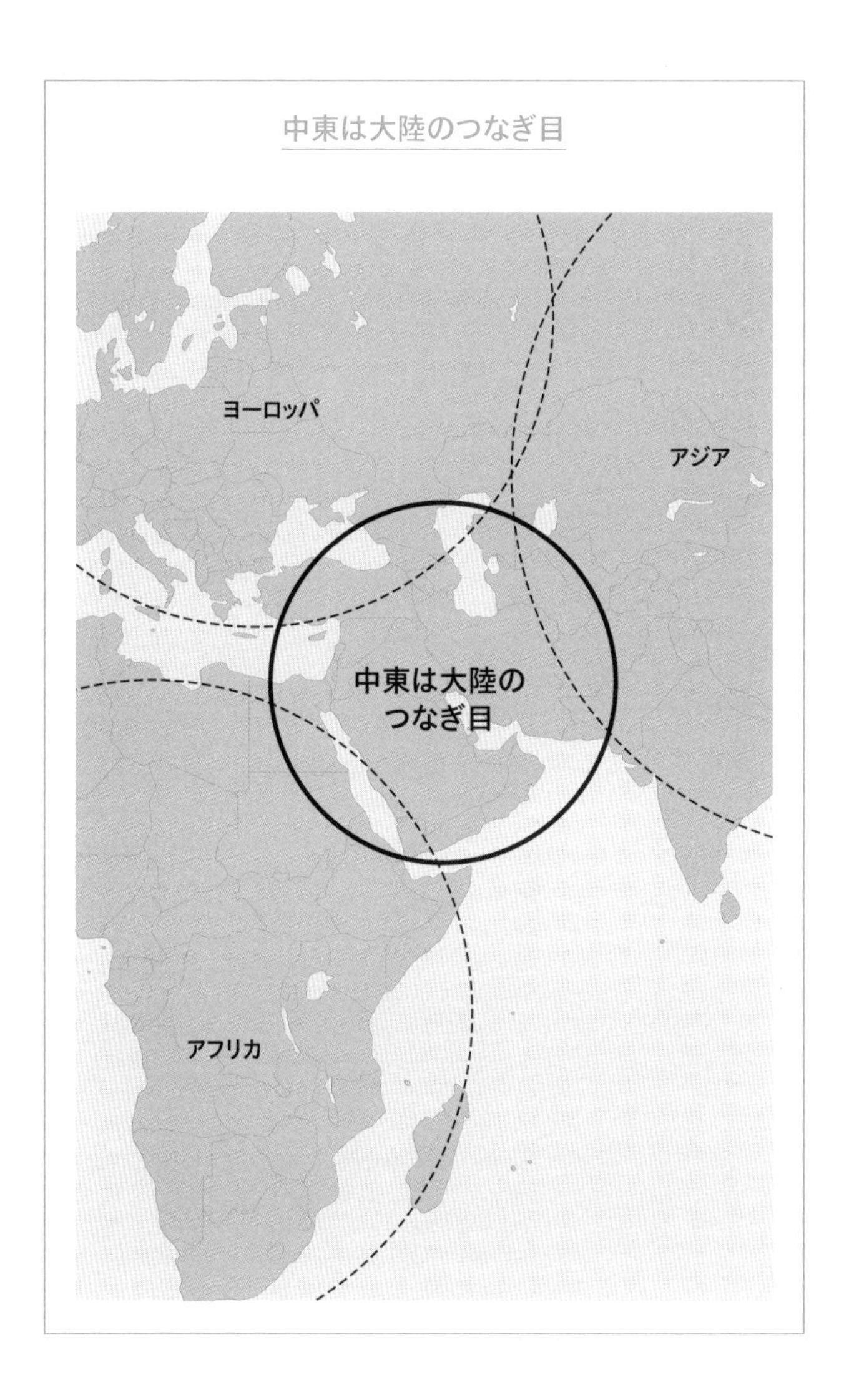
中東は大陸のつなぎ目
ヨーロッパ
アジア
中東は大陸の
つなぎ目
アフリカ

・ドバイでは、世界最大規模の食品総合見本市「ガルフード」が開催されている
・紀元前から現在に続くまで、戦争・紛争を繰り返している地域は世界で中東だけ
・現在のトルコにいたとされるヒッタイト人は、世界で初めて鉄器製造技術を身に付け、大きな帝国を築いた
・アブダビには、石油や天然ガスなどの化石燃料を一切使わない、世界初のカーボンフリー都市「マスダール・シティ」という新しい街がある

大陸のつなぎ目にあるから、中東は昔も今もイノベーションや争いが発生しやすい。

そして、その個性を生かすことで（ときにその個性に苦しめられながら）、発展してきた場所でもあるんです。**新しい潮流が生まれる「激動の場所」**と言い換えてもいいかもしれません。

「戦争」「石油」だけでは語れない

中東というフィールドを見渡したとき、多くの人が「戦争」や「石油」といった

「点」で考えがちです。もちろん欠かすことのできないキーワードですが、この点だけを見ていても全体像は浮かび上がってきません。産油国、とりわけレンティア国家といわれた湾岸諸国は、「脱石油」を掲げ、新しい国造りに邁進しています。

サウジアラビアやＵＡＥといった産油大国が原油依存から脱却し、脱西側諸国へと舵を切っている。その裏では、イランもトルコもエジプトも虎視眈々と自国の成長戦略を描いている。グローバルサウスといわれる第三世界が大きな力を付けてくることで、さまざまな力学が働き始めています。

では、どのように中東を読み解けばいいのか。本書では、次のように解説していきます。

第１章では、中東の進化について紹介します。僕たちが思っている以上に中東は近代化し、さらにその先へと向かっています。

第２章では、中東を理解する上での中心軸となる、宗教について考えます。

第３章では、これまでの中東の歴史を振り返りながら中東の国々の関係性を、続く

第4章では、これからの中東を世界各国との関係性を踏まえて考えます。

そして最終章となる第5章は、僕たち日本人が考えるべきことです。中東の歴史や、各国のリーダーたちが掲げるビジョンから、多くのことを学ばなければいけません。

これまで、アメリカを中心に考えれば世界の動向は見えてきました。しかし、これからの時代は第三世界、特に中東の一挙手一投足に着目が必要です。**これから世界は多極化に向かっていき、その軸が中東になることは、疑いようがありません。**

本書では、教科書や専門書のように難しいことを大上段から振りかざすつもりはありません。

「中東に興味があるんだけど、どこから手を付けていいか分からない」
「最近中東ってよく聞くけど、よく分からない」

そんな人に読んでほしいと思います。

そうすれば、画一的な印象を抱かれがちな中東が、実はもっと多彩で個性豊かであることが分かっていただけるはずです。そして、「なるほど」と膝を打ってくれるはずです。

はじめに　004

進化する中東

石油によって「世界のハブ」の可能性を見失う　020
「大陸のつなぎ目」の役割を取り戻したドバイ　024
世界中から企業が集まる「エコノミックフリーゾーン」　033
国家自らが資産を運用する「政府系ファンド」　043
ドバイの成長戦略に倣うサウジアラビア　048
サウジアラビア驚異の未来都市計画「NEOM」　057
「中東トップは譲らない」さらなる高みを目指すドバイ　063
併設された世界最大級のモスクと教会に見るエジプトの改革　071

中東の宗教と気質を理解する

イスラム教は中東を理解するための羅針盤 080
誇り高くて見栄を張りたがるアラブの人々 090
イスラム教の厳しさを象徴する宗教警察「ムタワ」 095
「イスラム金融」に見るイスラム教のファジーさ 099
自分たちの考えを貫く「中東の異端児」イラン 103

中東各国の関係 これまでの100年

混沌の原点となったイギリスの「三枚舌外交」 108
政権によって180度変わるアメリカとイランとの関係 113
イスラエルを囲む「シーア派の三日月地帯」 118

中東と世界の関係　これからの100年

石油が眠る中東は列強から狙われる　125
「湾岸危機」からつながる「9・11同時多発テロ」　130
中東の100年は、戦争、搾取、説教の時代である　135
中東と世界の懸け橋となるか。存在感を高めるトルコ　140
ますます複雑さを増すアメリカと中東の関係　147
アメリカは経済制裁を科している国から原油を買っている　153
中国主導「イランとサウジアラビアの国交正常化」のインパクト　156
もう一つの大国、ロシアの存在　169
再び戦火に包まれるスーダン。日本が考えるべき協力関係　177

日本に石油が入ってこなくなる日

ハマスのテロ。意外だった日本の表明 186
中東における日本の評価は急落の一途 193
中東の混乱はエネルギー問題を再考する好機 198
日本とサウジアラビアをつなぐ「ブルーアンモニア」 203
柔軟なアイデアで中東に隠されたビジネスチャンスをつかむ 207
カタール・ヨルダンの「独自性」 215
アゼルバイジャンで号泣した日 222
ビジョナリーな指導者に学ぶ 232

おわりに 236

本書の内容は、2023年10月末日の情報をもとにしています。また、あくまで著者個人の見解に基づくものであり、いかなる組織や立場を代表するものでもありません。

進化する中東

石油によって「世界のハブ」の可能性を見失う

そもそも中東は、軍事用語、地政学用語として「中近東」と呼ばれていました。「中東」の範囲の定義は、イギリスの政治行政官によるものといわれています。イギリスから見て東側、トルコ周辺（当時のオスマン帝国周辺）を「近東」、そこからさらに東、インド手前までのアラブ地域を「中東」、そしてインドよりもっと東にあるエリアを「極東」と位置付けました。僕たちが暮らす日本を含めた東アジアが「極東」といわれるのは、この基準によるものです。

では、現在「中東」と呼ばれるエリアはどこなのか。

諸説ありますが、**アラビア半島諸国と、トルコ、イスラエル、エジプト、ヨルダン、レバノン、パレスチナ、シリア、イラク、イラン、アフガニスタンを含むエリア**を指します。かつてはトルコ周辺が「近東」と呼ばれていたこと、そして現在非アラブ人から形成されるイランやアフガニスタンが中東と考えられているように、時代とともに中東の在り方も変わってきていることが分かると思います。

また、アラビア語を言語とする国々のことを「アラブ」と呼びますが、スーダン、リビア、アルジェリア、チュニジア、モロッコ、モーリタニアといった北アフリカの国々の言語もアラビア語です。そして、これらの国々では宗教もイスラム教です。こうしたエリアは、中東と位置付けられてはいませんが、文化的にも精神的にも中東の国々と通ずるものがあります。平たく言うなら、中東的世界はものすごく広大なエリアに広がっているのです。

大陸のつなぎ目にあって、アジア、アフリカ、ヨーロッパという三つの大陸の中間地点に位置するのがアラビア半島です。**「アラブ商人」という言葉がありますが、彼らの特徴は、右から買ってきたものを左に売りさばくこと**です。つなぎ目に位置することでたくさんのモノが集まり、自分たちで作らなくても商売が成立してしまう。そのため、現在も「メイドイン中東」で世界に出回る工業製品は、ほぼありません。

こうした考えは、アラブ人の性格を把握する上で大きなポイントにもなります。アラブ諸国で人気になるものは、基本的に北米やヨーロッパなどですでに人気を得ているものに限られます。人気がないものをゼロから中東でブランディングしていくのは、とても難しいのです。

製品やジャンルにもよりますが、一例を挙げるなら、東京ドームおよそ28個分の大きさを誇る世界最大級のショッピングモール「ドバイモール」です。約１２００店舗が入店していますが、その中で日本の衣類のお店は、「無印良品」「A BATHING APE®」といった超有名ブランドしかありません。

アラブ人は、自分たちと同等、あるいは尊敬に値する地域で人気になっているものを好み、そうした商品を自分たちで扱う。基本的に横に流すことで利益を生んできた、アラブ商人気質ならではと言えるでしょう。

ところが、**その特性があることをきっかけに希薄になっていきます。石油の発見です。**前述したように、彼らは商品を流動させることで潤ってきました。しかし、横から流れてくるものではなく、下から湧いてくるものに「価値」が生まれてしまった。この奇跡の発見によって、中東に変化が訪れます。

ビジネスのハブ、金融のハブ、貿易のハブ、情報のハブとなる可能性を秘めている地理的環境があるにもかかわらず、石油をはじめとした資源に頼り切る。その姿は、本来中東が持っている大陸のつなぎ目という個性にカーテンを掛けてしまいました。

僕は、日本人が抱く中東のイメージが、石油、砂漠、イスラム教といった画一的なものになってしまった要因の一つに、こうした背景があると思っています。彼らが石油に依存してきたからこそ、僕たちが受け取るイメージも石油一辺倒になったのではないか。この本ではそうした〝もや〟を払いのけ、中東本来の魅力や面白さを届けたいという気持ちも強いのです。

ドバイモール

「大陸のつなぎ目」の役割を取り戻したドバイ

中東が石油に傾倒していく中で、大陸のつなぎ目という個性に再度着目し、今や世界に冠たる都市へと発展した場所があります。その場所の背景を説明することは、本来中東が持っているポテンシャルを理解してもらう上で、これ以上ない最適解だと思っています。

その場所とは、ＵＡＥのドバイです。

「ドバイという地域は、ロンドン、ニューヨークと並ぶ世界の中心になる」。僕はこれまで書籍やYouTubeで、そう強調してきました。ドバイはＵＡＥにあるため、「産油国」として発展してきたと思われがちですが、そうではありません。大陸のつなぎ目という利点を突き詰めて、大発展を遂げた街です。裏を返せば、オイルマネーに頼らずに自立した場所です。

中東は、このドバイの成功に引っ張られるように、現在、脱石油を掲げています。**大陸のつなぎ目としての役割に原点回帰をしたドバイを知ること。それこそが、中東の現在進行形を理解するファーストステップになります。**

ドバイのあるUAEという国は、その名が示す通り、七つの首長国からなる連邦国家です。

・アブダビ首長国
・ドバイ首長国
・シャールジャ首長国
・アジュマーン首長国
・カイワイン首長国
・フジャイラ首長国
・ラアス・アル＝ハイマ首長国

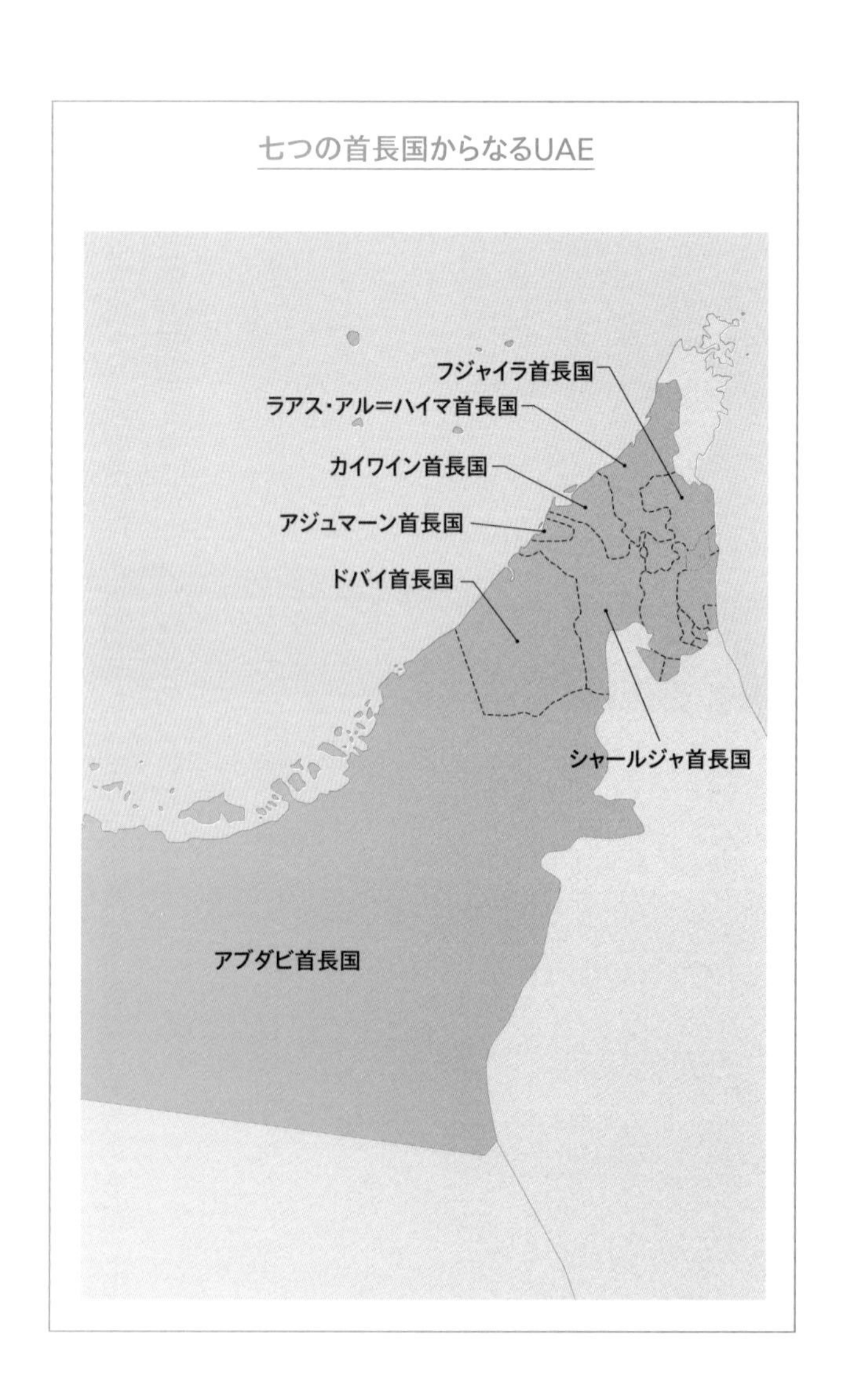
七つの首長国からなるUAE
フジャイラ首長国
ラアス・アル=ハイマ首長国
カイワイン首長国
アジュマーン首長国
ドバイ首長国
シャールジャ首長国
アブダビ首長国

七つの首長国それぞれに政府があるものの、ＵＡＥという国家単位になると、最大の首長国であるアブダビ首長国の首都・アブダビが、連邦全体の首都として機能します。そのため、アラブ首長国連邦大統領は、アブダビ首長であるムハンマド・ビン・ザーイドが務めています。

その一方で、七つの首長国はそれぞれ独自の行政の下で政治や経済を動かしています（各首長国の旗もそれぞれ異なるほど）。例えば、ドバイのシェイク・ムハンマドは、ＵＡＥの副大統領と首相を務めながら、ドバイ国の首長としてドバイの舵取りを行っています。

ＵＡＥは、国民全体の約10％が自国民、残りの約90％が外国人で形成されています。**驚くことに、自国民であれば医療費は無料、教育費も無料、所得税、相続税、贈与税といった税金もなし。**唯一、２０１８年から導入された消費税５％があるくらいです。

月給１００万円の仕事に就いている人であれば、所得税も社会保障費もないわけですから、そのまま手取り１００万円ということになります。しかも、自国民同士で結婚すると、家がプレゼントされるというおまけ付きです。

「やっぱりオイルマネーってすごいんだ」と思えますが、オイルの力だけではありません。現在、「政治のアブダビ、経済のドバイ」と呼ばれているように、**UAEをリードしているのは、産油国であるアブダビではなく、油が採掘できないドバイ**です。

かつてはドバイも、他国同様に石油を掘っていた時代がありました。1960～70年代に、産油国であるクウェートからたくさん借金をして石油を掘ってみたものの、採れる石油は質の悪いものばかり。さらには、量も限られるものでした。

このまま掘り続ければ悪循環に陥るだけで、どんどん国は貧しくなっていく。ドバイは石油に頼らない国造りを迫られ、その上で「経済のドバイ」と呼ばれるまでに進化したというわけです。

ドバイと聞くと、今でこそセレブなイメージが浸透していますが、今から数十年前はすごく貧しい国でした。当時のドバイの産業と言えば、木造船を組み立てる、海に潜って真珠を採る、あるいはラクダの運行くらいしかない状況だったのです。

そこからドバイは目覚ましい発展を遂げます。今から約25年前、僕は会計事務所で働いていました。担当していたクライアントが外国人ばかりで、彼らのほとんどがドバイに中古車を輸出していました。彼らから話を聞くうちにドバイに関心を持ち始め、僕もドバイに行くようになりました。

訪れてみて驚きました。当時、世界の建設クレーンの3割がドバイに集まっているといわれ、街中すべてがまるで工事現場。と言っても、建物はまだ完成しておらず、見渡す限り砂漠が広がっている不思議な光景。砂埃もひどくて、とても街を歩けるような環境ではなかったのですが、「ものすごいことが起きようとしている」というわくわく感が止まらなかったことを覚えています。

そこから約10年後、リーマンショックの煽りを受け、ドバイにも「ドバイショック」といわれる経済危機が起こりました。日本の多くのメディアは、「ドバイは砂上の楼閣だった」「ドバイは終わった」とはやし立てましたが、僕は時事通信のインタビューの中で、**「いや、ドバイはこれを機にもっとすごいことになるのではないか」**と異なる見解を示しました。

足しげくドバイに足を運んでいた僕は、後述するエコノミックフリーゾーンによっ

発展を遂げたドバイ

発展途上のドバイ(画像は2007年)

てたくさんの企業と人が集まるドバイの熱狂を見てきました。バブルによって毎月家賃は上がり続け、シェイク・ザイード・ロードという片側8車線の大きな道でさえ大渋滞してしまうなど、インフラも麻痺する状況でした。

条件さえ合致すれば誰にでも門戸を開いていたため、悪質なお金持ちも少なくなかった。その結果、ドバイで働いている優良企業の外国人たちが住みづらくなりました。バブルは、ヒトやモノをブラックホールのように吸い込み、本質を見失わせてしまう魔力を持っているのです。

そうした状況下で、ドバイショックが起きました。家賃も下がり、車も少なくなった。規制も強くなり、過度な不動産投機などもできなくなりました。しかし、**ドバイショックにより、結果的に有象無象がひしめいていたドバイは浄化されるのではないか。外国人が生活しやすい環境が戻ってくることで、本当にドバイに必要な人材のためだけの街造りがリスタートするはずだ。**そう僕は考えたわけです。

詳しくは以降の項でお話ししますが、企業誘致しやすい環境が再び整ったドバイは、実際に成長の第2ステージを迎え、ドバイショックを見事に乗り切りました。そして今、1000兆円規模の大都市計画（通称・ドバイ経済アジェンダD33。以下・D33）を掲げ、ロンドン、ニューヨークに並ぶ世界第3位の都市になると高らかに宣言しています。

現在、ドバイには、世界一を誇る高さ828メートルの高層建築物「ブルジュ・ハリファ」があります。映画『ミッション：インポッシブル／ゴースト・プロトコル』の舞台になるなど、今や世界的な観光名所でもあります。

この世界最高層ビルの展望台の入口には、**「FROM VISION TO REALITY」**という、ドバイの首長であるシェイク・ムハンマドの言葉が掲げられています。僕が中東を訪れるたびに、感銘を受ける言葉の一つです。ドバイはどのようにビジョンを現実に変えたのか、次項から見ていきましょう。

世界中から企業が集まる「エコノミックフリーゾーン」

ビジョンを現実にするため、ドバイは二つの戦略を描いていきます。

一つ目が、国家級の自由経済特別区、いわゆるエコノミックフリーゾーン（以下、フリーゾーン）の創設です。

フリーゾーンは、簡単に説明すると、**「同じエリアに同じ業種を集め、互いに自由競争させることでいいものをつくり出す」**ことを前提としたエリアです。その際、企業に掛かる税金をゼロにして、業種ごとに必要なインフラや法律、制度を調整し、その場所（フリーゾーン）でビジネスを展開すると、世界でも競争力の高い有利な条件が整います。

石油の採れないドバイは、このフリーゾーンに活路を見出しました。大陸のつなぎ目という特徴を生かし、この場所にありとあらゆるものを集めよう。アラブ商人の本質に原点回帰したと言ってもいいでしょう。

石油こそなかったですが、ドバイにはドバイ港とジュベル・アリ港というポテンシャルの高い天然の良港がありました（一説には、ドバイの語源は、二つの港＝デュアルベイから来ているともいわれる）。ここを活用する形で、経済や貿易のハブになるために、フリーゾーンをつくろうと計画したのです。

また、ドバイには、ヤシの木の形をした「パーム・ジュメイラ」という世界最大の人工島もあります。この島は、ドバイが世界から企業誘致をして、世界の観光ハブを目指すという目標の下でつくられたものなのです。

この計画を実現させるためには、海外から資金調達をしなければいけません。そこでシェイク・ムハンマドは、ロンドン、ニューヨークの機関投資家から資金調達を行うため、「パーム・ジュメイラ」を含めた未来都市ドバイの街並みを模した大きなジオラマを作り、それを見せながらプレゼンテーションを行い、資金を引き出したといいます。

港や空港を整備し、インフラを拡充させることで、ドバイは徐々に世界中から企業を誘致するようになります。**最も有名なジュベル・アリ・フリーゾーンには、現在、世界中の大企業が7000社ほど集まっている**といわれ、日本が誇るトヨタ、キヤノン、パナソニック、ソニーといった大企業も、実はドバイのフリーゾーンに拠点を置いているほどです。

エコノミックフリーゾーンと聞くと、製造業や貿易企業のイメージが強いかもしれませんが、ドバイのフリーゾーンはレベルも規模も桁外れです。

金融業だけを集めた「ドバイ・インター

パーム・ジュメイラ

ナショナル・ファイナンシャル・センター」や、貴金属業だけが集まる「ドバイゴールド&ダイヤモンドパーク」、さらには映画制作の経済特区である「ドバイスタジオシティ」、生花関係が集まる「ドバイ・フラワー・センター」など、多種多様なエコノミックフリーゾーンが存在します。**現在、その数は約50カ所**といわれ、まるで、現代のシルクロードです。

フリーゾーンでは自由競争が繰り広げられ、いいものが生まれやすく、ダメなものはすぐに淘汰されるという循環を生み出します。

優れた競合他社がひしめく状況は、優良企業にとってはいい相乗効果を生むことに

ジュベル・アリ・フリーゾーン

もつながります。身近な例で言うなら、デパートの飲食店エリアを想像してみてください。美味しくないお店にはお客さんは来ず、撤退を余儀なくされます。反面、美味しいお店は残り、美味しいお店が集うからこそ、お客さんもどんどん集まってくる……ドバイにはそうした好循環があるのです。

ドバイと聞くとマネーロンダリングや所得隠しといったイメージを抱く人も多いと思います。その理由も、フリーゾーンという仕組みにあります。

個人であっても、後述するように年間500万円のライセンス料を支払えば、フリーゾーンに会社をつくることができる。たとえそれがペーパーカンパニーだったとしても、日本から住民票を抜いてドバイの居住者になってしまえば、本人以外、誰もその資産にタッチできなくなります。

こうしたことから、有象無象がドバイに集まったことも事実です。ただし、現在は、UAE経済省が積極的に監視、摘発しており、2023年3月にはマネーロンダリング違反企業29社に対して高額罰金を請求しています。

フリーゾーンという舞台装置があるからこそ、企業が集まってくるわけですが、「無税にすることはドバイにとってマイナスにならないのか？」と疑問を抱く人もいると思います。企業は潤っても、どうやって国としてお金を生み出しているのでしょうか。

ドバイはもともと人口の少ない小さな首長国でした。そのため経済効果も小さかった。そこでエコノミックフリーゾーンをつくって世界中の人々を誘致すれば、雪だるま式に経済効果が大きくなっていくと考えました。

例えばドバイのフリーゾーンの一つに、ＩＴ系の「インターネットシティ」があります。そこにマイクロソフトが進出し、マイクロソフトの社員が世界中から何百人も集まってきました。同様に、ＩＢＭもインテルも進出してきます。働く人たちが暮らすための家、学校や病院が必要になり、商業施設やショッピングモールも活性化する。こうしてドバイ経済は成長していくというわけです。

どうしてこれほど多数の世界的企業が進出するのか、もう少し説明しましょう。

アラビア半島は、アジア、アフリカ、ヨーロッパという三つの大陸の中間地点に位置します。そんな場所にフリーゾーンが誕生するとどうなるでしょうか。

ドバイは、常に免税価格でショッピングができる「フリーポート」でもあります。各企業は、ドバイで製品を安く仕入れ、組み立て、それをアフリカをはじめとした国々に輸出する。成長著しい国や地域にモノを売るという観点で考えたとき、三つの**大陸の中間地点に位置するドバイは、企業にとって非常に有利な条件が揃う場所**になります。

そして、何と言っても利益に対して税金が掛からないという大きなメリットがあります。日本であれば法人税率は23・2％ですが（２０２３年３月時点／資本金が１億円以下の中小法人には軽減税率が適用。所得金額８００万円を境に税率が異なる）、ドバイは０％です。

先ほど述べた通り、フリーゾーンで仕事をするために、日本で言うところの登録免許税のようなライセンス料を払う必要がありますが、年間５００万円です。年間の利益が数十億円だったとしても、一律５００万円（ドバイのフリーゾーンで仕事をするために、年間５００万円のサブスクリプション料金を支払うといった感覚に近い）。しかも登録期間は50年間保証され、一度だけ更新することも可能という破格の条件です（以上、2023年10月時点）。

つまり、**年間500万円さえ支払えば、実質100年間はドバイのフリーゾーンで仕事ができる**というわけです。こうした大胆な場所をつくり上げることで、ドバイには多種多様な企業が集まるようになっていきました。

以前、日経新聞の広告欄に、「ドバイが発展すれば、日本で売られるバラの種類が増える」というキャッチコピーが掲載されました。一読しただけでは意味が分かりませんが、日経新聞を読めばその意味が分かる、という広告なわけです。

そのからくりを説明すると、フリーゾーンによる変化が日本にも及んだということです。その時代、日本で売られている切りバラは、ケニア産のバラがヨーロッパに運ばれ、そこから日本に運ばれてくるものが一般的でした。ヨーロッパを経由するため、バラの品質は落ち、空輸に耐えられないものは日本に入ってきませんでした。

ところが、先ほど触れた「ドバイ・フラワー・センター」が誕生したことで変化が訪れます。そこでカッティングなどの加工ができるようになったことで、物理的距離が縮まるだけでなく、フリーゾーンでコストも抑えることができるようになりました。

その結果、日本の生花店に並ぶバラの品種や数が増加したというわけです。ドバイのフリーゾーンがもたらした恩恵を、実は僕たちも受けているのです。

こうしたドバイの先進的な取り組みに倣（なら）う形で、現在、**ＵＡＥの七つの首長国すべてにフリーゾーンが生まれるまでになりました。**物価や家賃が高いドバイではなく、ラアス・アル＝ハイマなどにある発展途上のフリーゾーンに進出する企業も増えてきています。

何もなかったＵＡＥの砂漠が、今ではマンハッタンかと見まがうほど、次から次へと高層ビルが建築されているのは、各首長国がフリーゾーンという強みを生かして発展しているからです。決してオイルマネーだけのたまものではありません。

当初、ドバイがフリーゾーンを計画したとき、アラビア半島のほかの国々は、馬鹿にしていました。「石油のほうが儲かるのに、そんなことをやって何になるんだ」と。しかし、**ドバイは悲観することなく、いずれ石油が売り物にならなくなるかもしれない時代が来ると想定し、１９７０年代の段階で決断した**のです。

時代が下り、今、ドバイの判断が英断であったことが証明されつつあります。風力、地熱、水力といった再生可能エネルギー、メタンハイドレート……石油に変わる代替エネルギーに注目が集まり、西側諸国によって二酸化炭素排出量を下げようという動きも加速しています。

高層ビルが立ち並ぶドバイ

国家自らが資産を運用する「政府系ファンド」

ビジョン実現のためにドバイが描いた二つ目の戦略、それが政府系ファンドです。

ドバイには、ドバイ投資公社という政府系ファンドがあります。潤ったお金を政府自らが外国企業に投資をして、資産を増やしていくという考え方です。運用と再投資、すなわち利益の循環をすることで、ドバイは成長してきました。フリーゾーンによって生まれたお金を、投資という形で増大させる。右から左へと流すことで利益を生み出してきた商人気質を、もっと大きなサイズでやってしまおうというわけです。

政府系ファンドには、大きく分けて2種類あります。ソブリン・ウェルス・ファンド・インスティチュート（ＳＷＦＩ）というウェブサイトでも紹介されているように、「石油や天然ガス」による収入と「外貨準備高」を原資とするケースです。中国、香港、シンガポールなどは後者に該当し、貿易の中継地点としてモノを販売することで政府が得たお金を運用していくケースが多くなっています。

以下の表は、政府系ファンドの総資産額ランキングです。1位こそ北海油田の石油ファンドであるノルウェー政府年金基金ですが、2位以下はずらりと湾岸諸国と中国が並んでいます。

今、世界のどこにお金があるのか、**お金を持っているのはアメリカでもイギリスでもなく、中国とアラビア半島の国々**です。その二つの地域が手を組み始めている。おまけにエネルギーもある。中東に注目しないほうが不自然です。

ちなみに、世界トップレベルのアブダビ投資庁は、ドバイのお隣であるアブダビ首長国が運営する政府系ファンドです。「Abu Dhabi Investment Authority（アブダビインベストメントオーソリティ）」の頭文字を取ってＡＤＩＡと呼ばれ、投資先やセクターによって子会社を抱えるほどの巨大な組織です。不動産を専門に運用する政府系ファンドなど、一つひとつが独立した政府系ファンドとして存在しています。それらをすべて束ねている総本山が、アブダビ投資庁になります。

余談ですが、日本で見かけるシティバンクという銀行は、アメリカの銀行かと思いきや、実はアラブの銀行です。その筆頭株主はアブダビ投資庁。国家自らがビジネスとして運用と再投資を繰り返すことで、配当金のように国民に還元されるからこそ、UAE国民は医療費も教育費も無料といった生活が約束されているのです。

読者のみなさんの中には、政府系ファンドができる国とできない国があるのではないかと思う方もいるかもしれません。資源がある、フリーゾーンがある、そうした理由がないとできないのでは、という考え方ですね。しかし、**やろうと思えば日本だっ**

政府系ファンドの総資産額ランキング（2023年5月）

順位	国	ファンド名	総資産額
1位	ノルウェー	Norway Government Pension Fund Global	$1,371,813,762,200
2位	中国	China Investment Corporation	$1,350,863,000,000
3位	中国	SAFE Investment Company	$1,019,600,000,000
4位	UAE	Abu Dhabi Investment Authority	$853,000,000,000
5位	クウェート	Kuwait Investment Authority	$750,000,000,000
6位	シンガポール	GIC Private Limited	$690,000,000,000
7位	サウジアラビア	Public Investment Fund	$650,000,000,000
8位	香港	HK Monetary Authority Investment Portfolio	$514,223,020,000
9位	シンガポール	Temasek Holdings	$496,593,722,700
10位	カタール	Qatar Investment Authority	$475,000,000,000

出所:Sovereign Wealth Fund Institute

てできます。現に、シンガポールは政府系ファンドを生かして、巧みに成長した国でした。

シンガポールは、シンガポールの基幹産業といわれるシンガポールテレコム、STエンジニアリング、シンガポール航空、DBS、銀行、キャピタランドといった国を代表するような企業の株を、テマセク・ホールディングスという政府系ファンドが持っています。

興味深いのは、これらは国営企業ではなく、あくまで民間企業ということです。上場企業であり、外国人や外国人経営者もたくさんいるのですが、その株を大量に保有しているのは政府。国が保有し、経営はできる人に任せるという、とても理に適った運営をしています。

そうした国有企業のような状況をつくり出した上で、世界に対して投資もしている。保有している株の割合は、31％がシンガポール企業、69％が海外投資といわれています。テマセク・ホールディングスは、積極的に投資をすることでお金をどんどん増やし、国民に還元するスタイルによって、現在の成長を実現させたわけです。

効率化されているトップクラスの利益を生み出す企業の株を政府系ファンドが持つ

ことで、お金が増えていく仕組みをつくり出している。シンガポール建国の父であるリー・クアンユー元首相は、「一生のうちに年金だけで2回家を建てられる国にする」という言葉を掲げ、小国に過ぎなかったシンガポールをアジア屈指の金融国家へと成長させました。

日本にも、GPIF（年金積立金管理運用独立行政法人）という年金基金があります。政府が運用しているため、GPIFを政府系ファンドとして捉える考え方もありますが、ここでご説明した政府系ファンドとは、決定的に違うことがあります。

政府系ファンドは、政府が運用することに加え、あくまでその原資は政府が行っている投資やビジネスで得たお金です。一方、GPIFは僕たちが稼いだお金から差し引かれるお金（年金）を運用するものです。

日本も、フリーゾーンや政府系ファンドをつくればいい。少なくても、真剣に考えてみる価値はあると思います。シンガポールは政府系ファンドを生かして、巧みに成長した国です。産油国のように潤沢（じゅんたく）な資源があったわけではなく、その点では日本と同じ条件だったのです。

ドバイの成長戦略に倣うサウジアラビア

ドバイは大陸のつなぎ目という武器を最大限に生かした結果、世界トップクラスの都市へと、瞬く間に成長しました。つまり、中東諸国はその地理的なメリットを生かせば、成長が見込めるとも言い換えることができる。他湾岸諸国は一刻も早く脱石油経済を形成しようと躍起になり、ドバイの成長論を模倣するようになりました。

中でも、アラビア半島諸国は、三つの大陸とダイレクトでつながる地の利があります。とりわけ目の色を変えて改革を進めている国が、盟主・サウジアラビアです。

ＵＡＥの隣国・サウジアラビアは、世界屈指の産油国です。**サウジアラビアも現在は「脱石油」を掲げ、さまざまな分野に巨額の投資を行い、国を成長させようと奔走しています。**

アラブ諸国の中で、「王国（キングダム）」といわれているのはサウジアラビアだけです。その他のアラブ諸国にも王様はいますが、例えば、バーレーンは「国王（マリク）」、アラブ首長国連邦やカタール、クウェートでは「首長（シェイク、あるいはアミール）」、オマーンでは「国王（スルタン）」という具合に異なり、「王様（キング）」という敬称は使われません。

サウジアラビアのみが、王様という扱いになっています。王族と呼ばれるサウード家だけで3万人もいるともいわれ、「石を投げれば王族に当たる」なんて笑い話もあるほどです。

また、イスラム教の三大聖地であるメッカの「カーバ神殿」、メディナの「預言者のモスク」、エルサレムの「岩のドーム」のうち、前者二つがサウジアラビア国内にあります。サウジアラビアは湾岸地域のリーダーであり、中東アラブ圏の頂点に立つ国でもある。そのため、アラブ諸国における「盟主」などといわれるわけですが、おのずとプライドの高い人が多い国でもあります。

一方で、**特別な存在だからこそ伝統を重んじる風潮が根強く、「変化」を嫌うといった特徴もあります**。世界中のイスラム教国のお手本であるべき国なので、女性は常にアバヤ（全身を覆う、マントのようなロングコート）を着用するなど厳格です。
　今から10年以上前に僕がサウジアラビアへ行ったときは、男性と女性がデートをすることも禁じられていましたし、スターバックスでもバーガーキングでも、男性と女性の入り口は別でした。レストランへ行くと、メンズテーブルとファミリーテーブルという区分けがされていて、女性は家族と一緒にファミリーテーブルに座り、男性だけの集団の場合はメンズテーブルに座る、という決まりがあったほどです。

　そういう状況ですから、案の定、男性は出会いがないわけですね。サウジアラビア

男女で席が分けられたお店

では親同士の紹介でお見合いして結婚するのが一般的です。

僕が訪れた当時は、出会い系サイトが流行っていました。あるサウジアラビア人の友人にサイトを見せてもらうと、確かに女性の写真が掲載されているのですが、アバヤを被っているので目もとしか見えません。出会い系サイトなのに、なんとも厳格。不思議な二律背反を抱えた国だなというのが、最初に僕が感じたサウジアラビアの印象でした。

このように、サウジアラビアは伝統を重んじる国です。だからこそ、長らく保守的な構造を変えることはありませんでした。

裏を返すと、ドバイはＵＡＥの首都でもなければ、ＵＡＥも湾岸諸国のリーダーでもなかったからこそ、思い切ったことができたところがあるのだと思います。保守的な地域で実家を継がなければいけない長男と次男では身の振り方が変わってくるように、アラブ諸国の中にも多様な差異が生まれるというわけです。ですから、「アラブ」「中東」というように、十把一絡げ（じっぱひとから）に扱うことはナンセンスだと思います。

実は、サウジアラビアでも、2010年頃から「脱石油」や「女性の解放」といったテーマが叫ばれ始めていました。しかし、反対する勢力がまだ大きく、なかなか前に進めない状況が続いていました。

石油に依存する国の在り方を「レンティア国家」と呼びます。改革が進まないサウジアラビアは、まさに「レンティア国家」の代表格でした。掘れた石油はすべてサウード家のもので、対価として受け取ったお金を国民に分配する。しかし、こうした国家の在り方は資源依存でしかなく、石油の価格が暴落すれば、そのまま衰退を意味します。

しかも、国民は勝手にお金が入ってくることに慣れてしまい、ハードワークを好まなくなります。労働人口の約7割が公務員という数字が物語るように、目立った産業はなく、安定した収入のある家庭の子どもは働かないという社会問題にまで発展してしまったのです。

こうした状況を変えるべく、現在指揮を執っているのがムハンマド・ビン・サルマン皇太子です。まだ38歳（2023年11月時点）という年齢ながら、同国の首相を務める才気溢れる人物です。父であるサルマン国王が改革に熱心ということもあり、サウジアラビアは本格的に石油に頼らない新しい経済構造をつくり上げていくようになります。

ムハンマド皇太子は、サウジアラビアを世界的な貿易拠点にすると目標を掲げています。**ドバイの成長戦略に倣い、サウジアラビアも大陸のつなぎ目という原点に立ち戻ろう**というわけです。

そうとは言っても、単に模倣するだけではなくサウジアラビアならではの戦略があります。医療やＡＩといったテクノロジーや新しい産業に力を入れると公言し、首都のリヤド周辺に「キッディーヤ」というコンテンツ産業の集積地をつくるというのは、ドバイにはない切り口でしょう。

この「キッディーヤ」、僕たち日本人にとっても無関係の話ではありません。ムハンマド皇太子は、アニメやゲームを愛する人物として知られており、日本のコンテンツが大好きなのだそうです。実際に、サウジアラビアでは「SAUDI ANIME EXPO」というイベントが開催されるくらい、とりわけ若い世代でアニメやゲームが人気を博していて、日本のアニメやゲーム、マンガは大人気です。

「キッディーヤ」は、こうしたコンテンツ産業に特化することで、若年層の雇用を改善させ、メタバースやＡＩといった伸びしろのある成長産業にも食指を動かしています。石油の価値がまだあるうちに、こうした分野に集中投資をしていくというのがサウジアラビアの考え方で、２０２３年２月にはサウジアラビアの政府系ファンド、パブリック・インベストメント・ファンド（ＰＩＦ）が任天堂株を買い増したことが明らかになりました。

少し前まで、サウジアラビアには映画館

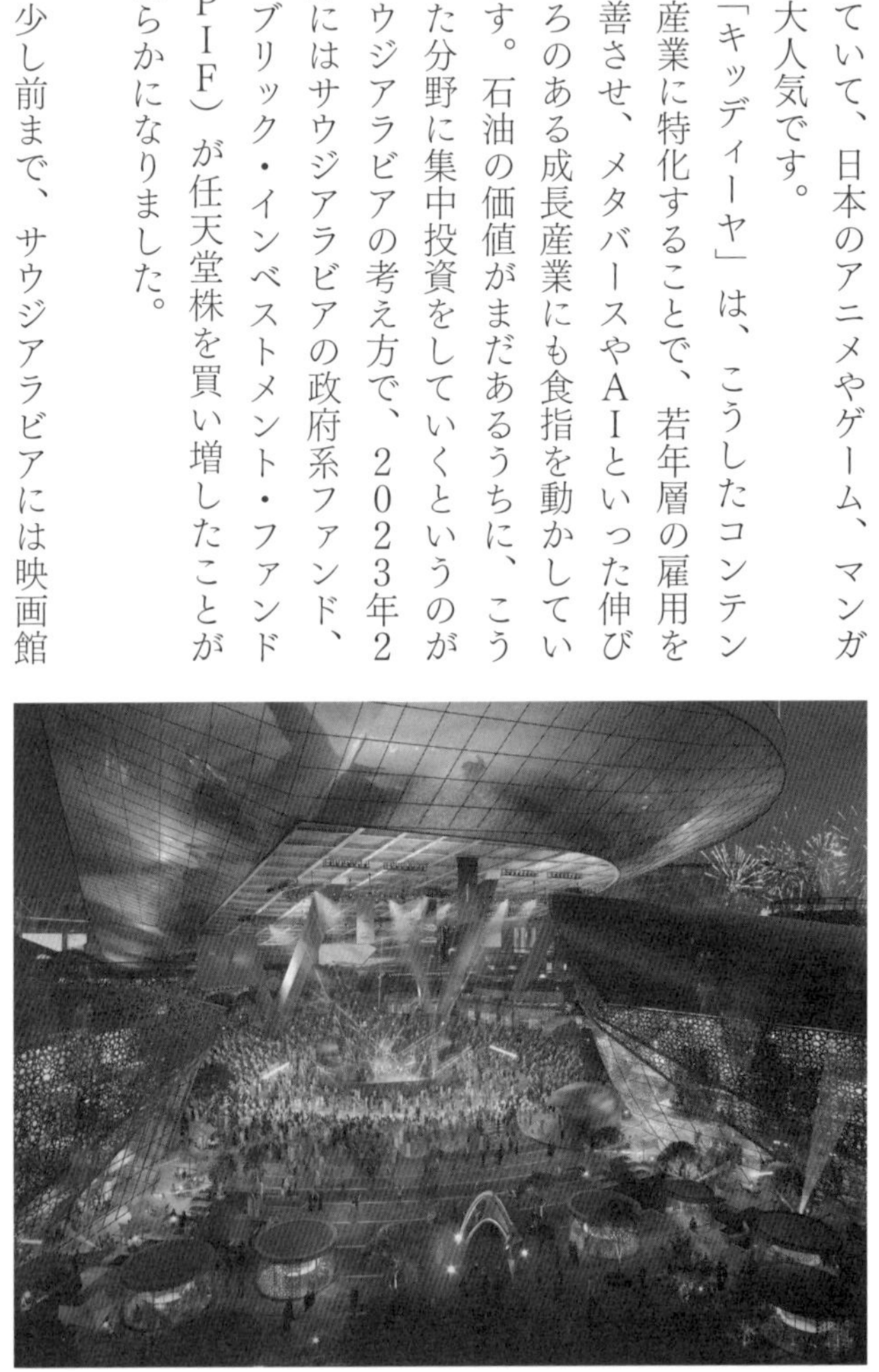

出典：Qiddiya 公式ウェブサイト　https://qiddiya.com

キッディーヤ

がありませんでした。最近は増えつつあるのですが、絶対君主制の王国なので、たくさんの人が集まることを抑制する「集会の禁止」という決まりごとがあったのです。一つの建物の中に、たくさんの人を入れることを好まなかったため、映画館もつくられませんでした。

しかし、スマホやテレビからはコンテンツを見ることができる。そのため、1人当たりのYouTubeの視聴時間が最も長いのはサウジアラビア人だという話を聞いたことがあります。コンテンツを欲しているけれど、映画館で見ることができなかった。だからYouTubeに夢中になるのでしょう。

こうした素地のある国が、国家プロジェクトとしてエンタメ系のコンテンツ産業に力を入れると謳い、コンテンツ産業に特化したフリーゾーンをつくるとまで言っている。本来なら、一日の長がある日本がこういうことをしなければいけないのではないでしょうか。日本を代表するコンテンツメーカーの株を、サウジアラビアの政府系ファンドが取得している。こうした部分からも、彼らの本気度を感じます。

2023年に入ってから、サウジアラビアはフリーゾーンを新たに4カ所つくると公表しました。

今やアラビア半島は石油のエリアではなく、フリーゾーンのエリアへと、新しい局面を迎えています。その中心にいるのが、ドバイ（UAE）とサウジアラビア。この両国を中心に、中東では経済戦争の幕が上がろうとしています。こうした背景があるからこそ、ＵＡＥやサウジアラビアが、どの国とタッグを組んでいくのか注視しておくことが重要なのです。

サウジアラビア驚異の未来都市計画「NEOM」

サウジアラビアは、新しい経済構造の目標を2030年と定めています。つまり、先の「キッディーヤ」を含めた成長戦略をあと6年ほどで実現させるというのです。**「サウジアラビアビジョン2030」**と題されたこの計画は、脱石油経済はもちろん、世界的な貿易拠点を目指し、「NEOM（ネオム）」という未来都市までつくると宣言しています。

サウジアラビアのムハンマド皇太子によると、未来都市「NEOM」には四つのコンセプトがあるといいます。そのすべてにスマートシティ構想が取り入れられ、これまでの人類では考えられなかったような未来的な技術を駆使した都市計画を実現するという、壮大なプロジェクトです。

一つ目が、**「シンダーラ」**という紅海沿岸につくられるリゾート都市計画。三つの大型ホテルから形成され、合わせて750の客室になります。富裕層の観光客をターゲットとしており、プライベートジェットで到着したゲストは、高級ショップやビーチ、ヨットクラブ、スパなどにすぐにアクセス可能です。

二つ目が**「トロイエナ」**。サウジアラビアのタブーク州の山岳地帯に計画予定で、意外に思われるかもしれませんが、この地域は海抜が1500メートルもあります。サウジアラビアでも比較的涼しく、冬には雪が降ることもあるこの場所に、5000億ドル規模の砂漠都市をつくり、1年間を通じてスキーが楽しめる施設をつ

出典：NEOM 公式ウェブサイト　https://www.neom.com

シンダーラ

くるといいます。砂漠でスキーをする。なんとも彼ららしい独創性のあるアイデアです。

そして、三つ目のプロジェクトが**「オキサゴン」**。紅海沿岸に世界最大の人工島をつくり、大規模な港湾都市とともに開発をしていく。まさにドバイの背中を追うような計画でしょう。

最後が、**「ザ・ライン」**。ＮＥＯＭの中で最も注目を浴びているのが、このメガシティ構想です。その名が示すように、全長１７０キロに及ぶ壁のような一直線の街をつくるというのですが、これだけ聞いても

出典：NEOM 公式ウェブサイト　https://www.neom.com
トロイエナ

さっぱり意味が分からないですよね。今分かっている範囲で説明すると、**高さ500メートル、幅200メートル、そして長さ170キロというとんでもなく巨大なビルディングを開発する**というのです。

長さ170キロの内部はすべて接続しており、移動に車や道路を必要としません。さらに端から端までリニアモーターカーを使って約20分で到着するというから、とんでもない計画であることが分かると思います。その中に商業施設、インフラ、エネルギーも兼ね備え、そのすべてを再生可能エネルギーで回し、水も再生させ、排気物も100%リサイクルを達成する。しかも、この空間に900万人の居住者を予定して

出典：NEOM 公式ウェブサイト　https://www.neom.com

オキサゴン

いるといいます。

本当にこんなことができるのかと思うのですが、実際に「ザ・ライン」の基礎工事が2022年の年末に始まったそうです。サウジアラビアは本気で四つのコンセプトを実現させるつもりです。

ドバイの「パーム・ジュメイラ」も最初は実現できないと後ろ指を指されていましたが、彼らは有言実行しました。「絶対に実現させるんだ」という強い思いと、頭脳と資金を持ち合わせていたのです。

ここで、一つクイズです。

世界で一番、（人工的につくり出す）水

出典：NEOM 公式ウェブサイト　https://www.neom.com

ザ・ライン

の生産量が多い国はどこでしょう？

答えは、サウジアラビアです。サウジアラビアには、海水を汲み上げて真水に変える淡水化プラントがあり、真水をつくる世界的な技術を持っています。

彼らは、嘘みたいな話を本当にしてしまう行動力と技術を持っています。 ましてや、ここで紹介したのは国が掲げる国家プロジェクトですから、本当に実現させてしまうのではないかと、僕はわくわくしてしまいます。何より、笑われるかもしれないようなことを大真面目に掲げる国家としての姿勢に、格好良さすら感じてしまうのです。

「中東トップは譲らない」さらなる高みを目指すドバイ

ドバイはＤ33を発表し、次の10年計画を立てています。サウジアラビアからポジションを奪われないためには、さらに成長すればいいというのがドバイの戦略です。あれだけ発展しているというのに、まだ高みを目指すというのだから恐ろしさすら感じます。

ドバイがこうした事業計画を大々的に謳う場合、「declare＝宣言する・誓う」という動詞が使われることが特徴です。現地の新聞『ガルフニュース』『カリッジタイムズ』といったメディアで報道される際も、「シェイク・ムハンマドは○○までに○○をやることを宣言した（＝declare）」と表記される徹底ぶりです。

ＵＡＥは王政のような政治スタンスで（その他湾岸諸国も同じですが）、リーダーの意思決定が国の方針と直結します。そのため、一つひとつの首長国は、政府というよりも「株式会社ドバイ」「株式会社アブダビ」とでもいうような、それぞれ独立して経営をしているイメージです。

ドバイのシェイク・ムハンマドの周りには、世界中から集めた300人近いコンサルタントがいるといわれています。世界中のブレーンが彼の近くにいるわけですから、もはや政治家というよりもCEOですよね。

そんなシェイク・ムハンマドが発表したのがD33「1000兆円規模の大型都市計画」。その内容は、**「今後10年間でドバイの経済規模を2倍にし、世界トップ3の都市の地位を固めることを目的とする」**というものです。ロンドン、ニューヨークと肩を並べると公言してしまったのです。

具体的には、次の10項目を達成するというのが、彼らのdeclareです。

①ドバイの対外貿易の規模を2倍にし、ドバイの対外貿易マップに400の都市を追加する

②クリーンで持続可能なドバイの計画を立ち上げる

③ドバイの未来経済回廊２０３３を、アフリカ、ラテンアメリカ、東南アジアとともに立ち上げる
④30社が新しい経済分野でグローバルなユニコーンになるため、スケールアッププログラムを開始する
⑤6万5千人の若者を雇用市場に導入する
⑥ドバイトレーダーズプロジェクトを立ち上げ、主要セクターの新世代のトレーダーに力を与える
⑦ドバイ全土のすべての企業の独自の商用アイデンティティとして、ドバイの統一ライセンスを開始
⑧新技術のテストと商業化を可能にするサンドボックスドバイを立ち上げ、ドバイを主要なイノベーションハブにする
⑨世界最高の大学を誘致するプログラムを開始。ドバイを高等教育の世界的な先駆的拠点にする
⑩４００の有望な企業を特定し、その能力開発を支援。グローバルな成長を支援することによって中小企業のスケールアッププログラムを開発

③の「未来経済回廊」というのは、中国の習近平国家主席が掲げる「一帯一路」のような構想かもしれません。⑧の「サンドボックス」というのは、おそらくメタバースのゲームであるサンドボックスのことでしょう。

また、⑨の「世界最高の大学を誘致するプログラムを開始」も興味深い項目です。ドバイはお金や企業が集まる反面、教育に関しては成長途中にあります。そのため、UAEの優秀な人材は、イギリスやアメリカの名門大学に進学してしまい、そのまま現地の一流企業に就職してしまうというケースが珍しくありません。

UAE人同士で結婚すると、「家をプレゼントする」という特典があると先述しました。これには、ドバイに優秀な人材を引き戻す狙いもあるわけです。ドバイに優秀な教育機関があれば、人材流出を防げるのではないか。「だったら、ドバイにつくろう」と宣言するのですから、考え方がスマートですよね。

このように、この10項目はドバイの課題を解決するとともに、新しい分野にも進出、挑戦していくという「declare」であることが分かります。

また、数字の面にも触れていて、その一部を紹介すると、次の通りです。

＊商品とサービスの対外貿易を、過去10年間の14・2兆ディルハムから、次の10年間で25・6兆ディルハムに増加させる
＊民間部門の投資を、過去10年間の7900億ディルハムから次の10年間で1兆ディルハムに増加させる
＊商品とサービスに対する国内需要の価値を、過去10年間の2・2兆ディルハムから次の10年間で3兆ディルハムに増加させる

このように、国の成長をさらに加速させると強調しています。

現在でも十分すごいのに、まだ成長できるのか。「FROM VISION TO REALITY」の話を思い出してください。彼らはビジョンを実現させてしまう意思と力を持っています。

地元ドバイを含む中東諸国では、この計画について「実現可能」と楽観論が多数を占めています。さらには、アメリカのメディアCNBCは、「そもそもドバイが野心

的でなかったことなどない。ドバイ経済の実績と歴史を考えれば、これらの目標を疑う理由はない」と報道しているほどです。

「そんなことができるの？」ということを、すでにやってしまっているのが、彼らのすごいところでもあります。

例えば、ドバイのお隣・アブダビには「マスダール・シティ」というカーボンゼロの街があります。世界屈指の産油国であるアブダビが、世界に先駆けてカーボンゼロの街をつくる。まるで落語のようなお話です。

そうとは言っても、人は住んではいません。住んではいないけれど、往来はある。「マスダールインスティチュート」という教育・研究施設に学生や企業の社員が通っていて、観光客も中に入ることができます。街の中に入ると、無人の電気自動車が動いていて、その光景は未来都市さながらです。

建物もとてもユニークで、すべて流線型で建てられています。アラビア半島は、乾燥帯で気温が高いため、流線型の建物を建て、その距離を縮めることで風が還流しやすい構造にしているのです。

また、街の中心部には「マスダールウインドタワー」というタワーがあり、自然の力のみで冷却できる構造になっています。エアコンがなかった時代、アラブの建物には屋根の上に煙突のような部分がありました。煙突の上に壁をつくり、風が壁にぶつかると自然と煙突の中に入って、屋内に送られる。その原理を応用した巨大建造物が、「マスダールウインドタワー」です。

タワーの下に行くと、まるでクーラーのように冷たい風が送られてくるのですが、電気は一切使っていません。上空の風を受け止め、それが下に流れて来る際に、途中で水を吹き掛けているだけ。その冷たい風を、街中にぐるぐると還流させるために、

マスダールウインドタワー

建物が流線型で統一されています。

本当にこういう街をつくってしまうのですから、「1000兆円規模の大型都市計画」もやり遂げてしまうのでしょう。

ほかにも、ドバイでは、2030年までに新築住宅の50%を3Dプリンター製の住宅にすると発表しています。災害にも強く、アラビア半島の気候にも適しているそうです。

ドバイのシェイク・ムハンマドは、イギリスBBCのインタビューで、「なぜそんなに急ぐのでしょうか?」と尋ねられたことがあります。そのとき彼は、**「今の国民に20年後、30年後に豊かになってもらいたいわけではない。国民に今すぐ豊かになってもらいたいから急ぐんだよ」**と答えました。どこかの国の首相にも聞かせたい。そう思うのは僕だけではないはずです。

併設された世界最大級のモスクと教会に見るエジプトの改革

2015年、エジプト北部地中海沿岸に巨大天然ガス田、ズフル・ガス田が発見されました。これにともない、東地中海ガスフォーラム（EMGF）が発足され、エジプトはイスラエル、ヨルダン、パレスチナ、キプロス、ギリシャ、イタリアらと天然ガス開発のための国際的な枠組みに取り組んでいます。

エジプトは、西側諸国と中東諸国、そしてイスラエルとも連携が取れる数少ない国の一つです。エジプトのアブドルファッターフ・アッ＝シーシー大統領は、西欧諸国と良好な関係を維持しつつ、昨今は中国やロシアとの距離を縮めるという全方位外交を進めています。

2010年から2012年にかけて、アラブ諸国で「アラブの春」と呼ばれる大規模反政府デモが発生しました。リビアでは、42年間に及ぶカダフィ政権が崩壊し、チュニジアでは、23年間続いたザイン・アル＝アービディーン・ベン・アリー大統領政権が崩壊。イエメンでも、約30年にわたって大統領の地位にあったサーレハ大統領が退陣し、シリアでは一党独裁が続いていたアサド大統領が、アメリカなどが支援する自由シリア軍と交戦する事態になりました。

その結果、シリア内戦、イエメン内戦などに発展し、今日まで続く混乱を生み出してしまったわけです。

このように、「アラブの春」は、必ずしもいい結果をもたらしたとは言えませんが、**この騒乱を機に、新しい時代の扉を開いた国がエジプト**でした。

実はエジプトも、アラブの春によって混乱に陥った国でした。30年にわたって独裁政権を維持したムバーラク大統領政権に終止符が打たれ、ムスリム同胞団のムハンマド・ムルシー氏がエジプト大統領に選出されます（あらためて列記すると、中東諸国の多くがいかに独裁体制だったかが分かると思います。こうした体制を西側諸国、とりわけアメリカは非難していたわけです）。

しかし、革命による混乱を抑えることができず、エジプト国内の対立は激化。

2013年にはエジプトクーデターにより憲法が停止し、ムルシー大統領は権限を失い逮捕されてしまいます。

そして、権力を掌握したのが、現在のシーシー大統領です。彼は、混乱に蓋をするため、再び強権体制を復活させたのですが、結論から言えば、功を奏しました。

現在、エジプトは人口1億人を超える大国にまで膨れ上がっています。驚くことに**富裕層が国民の10%を占め、そのうちの約6割が30代以下の若者**という、著しい成長を見せています。

アラブの春が起こったことで、エジプト国内では新しい制度がどんどんできました。その影響によって、若い人たちが新しいビジネスを生み出し、現在の状況をつくり出しています。

エジプトには、カイロ大学、アインシャムス大学といった名門大学が存在し、教育の分野においてはアラブ諸国の中でも随一の実力を持ちます。その頭脳を、積極的に生かせる土壌をつくろうというわけです。

シーシー大統領は、経済の浮揚がそのまま国内の安定につながると考え、経済を優先しています。そのためには、新しいビジネス、若い人材を育てていくことが重要だと説いています。また、経済が豊かになれば、宗教や民族の軋轢も緩和できると考えていて、その垣根もできるだけ取り払うと謳っています。

一筋縄ではいかない話に聞こえますが、シーシー大統領は本気です。エジプトのカイロ東部にニューカイロという都市があります。カイロの衛星都市のような役割を果たし、ニューカイロを含めた大カイロ圏にはおよそ2000万人が暮らしているといわれています。

シーシー大統領は、**この大カイロ圏に新たな都市をつくり、ゆくゆくは首都を移転すると**、2015年に宣言しています。その計画はドバイやサウジアラビアを彷彿とさせる先進的なプロジェクトで、エジプトもまた、改革の只中にあるのです。

カイロから車で30〜40分ほど走ると、ニューカイロの街並みが見えてきます。この場所に、なんとシーシー大統領は、**世界最大級のモスクと教会を並べて建設しました**。

エジプトにはキリスト教徒の中でも比較的珍しい少数派のコプト教の信者がいて、差別を受けていた。具体的に言うと、イスラム教徒はモスクをつくることができる一方で、キリスト教徒は教会をつくれないという法律があったといいます。

その法律をシーシー大統領は撤廃しました。経済を豊かにして国を安定させるためには、無駄ないがみ合いはつくるべきではないと説明したわけです。

ところが、彼の提案は議会で反対されてしまいます。「そんなことをしたらイスラム教徒が危ない目に遭うかもしれないじゃないか」と。普通であれば頓挫してしまうかもしれませんが、シーシー大統領は、「そうした事例はあったのか？ あるなら私に提出しろ」と真っ向から戦いました。「あくまで可能性や推測の話であって、実際に起こっていないなら前に進んだほうがいいじゃないか」と論破してしまったのです。

法律を撤廃させたシーシー大統領は、イスラム教徒とキリスト教徒がともに暮らしていける国にするという意思表明として、世界最大級のモスクと世界最大級の教会をニューカイロの同じ場所に、しかもまったく同じタイミングで建設をスタートさせ、完成させてしまいました。落成式も同日です。二つの宗教に優劣をつくらない、とてもスマートな演出です。

僕は2019年、モスクと教会が完成した直後に、この場所を訪れました。リップサービスかもしれませんが、僕は記念すべき外国人入場客の1人目だったそうです。

　教会は、「Cathedral of the Nativity of Christ, Cairo」という名前。その日はものすごく厳重な警備で、多数の警察官・警備員がいたことを覚えています。「何かあるのですか?」と聞くと、「これから大統領が来るから、今日は教会には入れない」と伝えられました。すると、僕らに同行していた警察官が、「日本から来た大切なお客さんだから、なんとかならないか」と交渉をしてくれ、中を見学させてもらうことができました。

　「中東は親日」という説が、また一つ実感できた瞬間でした。何より、「新しい時

ニューカイロのモスク

ニューカイロの教会

代をつくるんだ」という空気が、モスクと教会に満ち溢れていたことが忘れられません。

現在この場所は、エジプトの新しい観光地としても話題を集めています。観光資源にもなっているのですから、シーシー大統領の手腕には脱帽です。**劇的な変化と成長を見せるエジプトも、これからの中東を考える上で、外すことのできないキープレーヤー**でしょう。

第2章

中東の宗教と気質を理解する

イスラム教は中東を理解するための羅針盤

ひと口に「中東」と言っても、そのエリアは広大です。さらに、アラブ人が暮らすエリアともなれば、その範囲は北アフリカまで及びます。

そのため僕たちは、中東、あるいはアラブを何となくのイメージでしか捉えることができず、どのような地域なのか理解することを諦めてしまう節があるのだと思います。それは広大な砂漠の中で、どこに向かって進めば現在地を理解することができるのか分からないといった状況に似ているかもしれません。それほど中東は、つかみどころのない場所だと思います。

この広大な地域を把握するための羅針盤。その一つが、イスラム教です。

多種多様なプレーヤーが存在する中東ですが、彼らに共通していることは、イスラム教をベースとしていることです。イスラエルなどの一部を除き、ほとんどの国がイスラム教を国教と定めている。ということは、イスラム教がどのような宗教で、その国にどのような影響を与えているかを理解することができれば、おのずと中東が立体的に浮かび上がってきます。

イスラム教は、預言者ムハンマドによって創始された宗教です。ムハンマドは、メッカの大商人だったハーシム家に生まれました。40歳の頃（西暦610年頃）にヒラー山で瞑想に耽（ふけ）っていたところ、天使ガブリエルが現れます。そして、その言葉（啓示）を人々に伝えるためにイスラム教を創始します。

イスラム教には3大聖地が存在し、メッカはムハンマドが生まれた場所、メディナは亡くなった場所、そしてエルサレムはガブリエルに導かれて昇天した場所とされています。とある岩の上から天へと昇ったとされるため、後にその場所に「岩のドーム」が建てられたという背景があります。

では、イスラム教とはどんな宗教なのか。

唯一神（アッラー）に服従・帰依する教えであり、ムハンマドに啓示された神の言葉をまとめたコーラン（クルアーン）を聖典としています。コーランは、ムハンマドとその周囲の人々によって記憶された神の言葉です。

例えば人間社会における生き方や崇拝行為の規定、美醜・善悪の分別などさまざまなことが含まれ、イスラム教徒はコーランに書かれている言葉を模範として生活しています。同じく聖典として扱われるユダヤ教の旧約聖書、**キリスト教の新約聖書では、天地創造といった逸話が主に書かれていますが、コーランはアッラーの教えに終始している**点が特徴です。

僕は、会計事務所で働いていたときにたくさんのイスラム教徒の顧客と接してきました。彼らが異口同音に唱えていたのは、**「イスラム教は人の道をつくる宗教だ」**ということです。約60億人の世界人口の中で、イスラム教徒は10億人以上存在するといわれています。大きな支持を集めるのは、そうした人の道を提示する宗教だからです。

僕たち日本人は、義務教育を受けることができます。しかし、イスラム教国の中には貧しい国もあり、きちんとした教育を受けることができない子どもたちがたくさんいます。そうした子どもたちに、「人を殴ってはいけない」「人のものを盗んではいけない」「人を騙してはいけない」といったことを教える役割が、イスラム教なのです（そんな素晴らしい教えがあるにもかかわらず、どうして戦争が繰り返されているかということについては、次章で説明します）。

また、イスラム教は、主に砂漠の国々で広まった宗教です。そのため、砂漠の国で生きていくための合理的な知恵が随所に織り込まれている点も特徴でしょう。

男性が頭に被っているシュマーグ（クーフィーヤ）は、夏は日よけになり、冬は防寒具になります。「豚肉を食べてはいけない」という教えも、豚のミルクは体調に支障をきたすと考えられているからだといわれています。**イスラム教を理解する上で「合理性」は、分かりやすいポイント**だと思います。

そして、みなさんも歴史の教科書で習ったであろう、イスラム教の**「スンニ派」と「シーア派」**についてです。

こうした区分けは、ムハンマドが創始した時代には存在していませんでした。ムハンマドから始まったイスラム教は、彼の死後、イスラム共同体全体の合議によって、ムスリムたちの中からムハンマドの代理人（ハリーファ）として統率する指導者「カリフ」を選出します。

初代カリフであるアブー・バクルから、2代目のウマル、3代目のウスマン、4代目のアリーと引き継がれていく。そしてアリーの次の後継者を誰にするかで揉めたのが、シーア派とスンニ派です。

アリーはシーア派の始祖といわれますが、実際はシーア派の始祖というよりも、「アリーの後継者はアリーの血筋で選んでいくべきだ」というのが、シーア派の考え方です。「シーア」とは、アリーの子孫を意味する「シーア・アリー」から名付けられています。

では、スンニ派とは血統を否定する人々のことを指すのかというと、そういうわけではありません。

7世紀になると、イスラム帝国は広大な範囲へと広がっていきます。ムハンマドの時代はアラビア半島のみがイスラム勢力の範囲内でしたが、アブー・バクル以降の正統カリフ時代（632〜661年）になるとシリア・エジプト・ペルシア地方へと勢力を拡大し、二つの宗派に分裂するウマイヤ朝時代（661〜750年）には、東は中央アジアの南部、西はアフリカの北アフリカの西端まで範囲を広げます。

ここまで大きくなると、帝国の支配下とは言え地域性に差異が生まれます。つくれるものも違えば、気候も違う。そのため、「その地域の慣習によって指導者を選んでいくべき」という声が上がり始めます。

こうした考え方を持つのがスンニ派と呼ばれる人たちです。ざっくり言えば、血筋は関係なく、その地域でコーランを一生懸命勉強している人が、それぞれの指導者になればいいのではないかということです。スンニとは「慣習」という意味を持ちます。

つまり、**血筋で選ぶのがシーア派、慣習で選ぶのがスンニ派**というわけです。そのため、**シーア派のほうが厳格で、スンニ派のほうがややファジー**です。例えば、イスラム教徒は1日5回の礼拝の義務がありますが、スンニ派の中には「5回しなくてもいい」と考える人もいます。スンニ派は、リベラルであり弾力性のある宗派と考えることもできるでしょう。

よく、シーア派とスンニ派は対立しているといわれます。戦争や紛争の構造を説明する際に、対抗している勢力がシーア派とスンニ派となっていることが珍しくないため、そのように捉えられがちですが、**普段から両者がいがみ合っているわけではあり**

ません。
特に、ドバイなど経済的に豊かな場所へ行くと、国も宗教も関係なく仲よく商売をしている姿が印象的です。フリーゾーンという特殊な環境によって、いがみ合うよりも一緒に豊かになろうという気持ちが強くなるのでしょう。

また、「スンナ」と呼ばれるムハンマドの慣行に関する逸話を集めた伝承集「ハディース」には、日常生活における慣習が紹介されています。コーランやハディースを法源としたイスラム教の法律を「シャリーア（イスラム法）」と呼びます。

このシャリーアによって、**イスラム教の行動規範は「やらなければならないこと」「やったほうがいいこと」「どちらでもいいこと」「やらないほうがいいこと」「やってはいけないこと」の5段階に分かれています。**例えば自殺や麻薬は「やってはいけないこと」として扱い、お祈りは「やったほうがいいこと」に分類されるといいます。

聖地巡礼も、同じく「やったほうがいいこと」だそうです。「やるべきことじゃないの？」と思うかもしれませんが、病気や障がいを持つ人もいるため、「やったほうがいいこと」として扱われているということでしょう。

このように、**イスラム教は人や環境によって差異が生まれることを前提とする、柔軟性のある宗教**です。地域によって、こうした行動規範をどこまで厳格化するかも変わってきます。

例えば、トルコではお酒を飲むことができますが、サウジアラビアでは、サウジアラビア人も外国人もアルコールは原則禁止です。富裕層が泊まるような高級ホテルのラウンジであってもＮＧ。ところが、ノンアルコールビールやノンアルコールワインなどはたくさん置かれています。実は彼らも飲みたいと思っているのでしょう。

僕がサウジアラビアを訪問したときにも、お酒を飲みたいサウジアラビア人がたくさんいると分かりました。国内で飲むことはできませんが、近隣のバーレーンやドバイではお酒を飲めるので、わざわざそのためだけに出国して、羽を伸ばして帰ってくるといった行動も珍しくありません。

バーレーンという国は、サウジアラビアと橋でつながる小さな島です。そのため、政治、軍事、経済、さまざまな面でサウジアラビアに依存している国でもあります。その見返りというわけでもないのでしょうが、サウジアラビア人が羽を伸ばせる場所を提供しているようなところがあります。

ちなみに、サウジアラビア、UAE、バーレーン、クウェート、オマーン、カタールの6カ国を「湾岸協力理事会（Gulf Cooperation Council／GCC）」と呼びます。その中で、サウジアラビア、UAE、カタールと比べると、バーレーン、クウェート、オマーンの3カ国のプレゼンスは大きく低下します。アラビア半島は、サウジアラビアとUAEが主導している地域と認識していいでしょう。

一方で興味深いのは、GCCの中でお酒を飲めないのは、盟主・サウジアラビアだけです。ただし、それ以外の国でも、お酒を提供する飲食店はリカーパーミットという免許を申請しないといけません。そのぶんコストがかかるわけですから、日本のようにアルコール類を提供する飲食店は多くはありません。

しかし、**いつまでも厳格なルールに縛られていると外国人から敬遠されてしまうため、昨今は条件が緩和されつつあります**。第1章で触れたように、ムハンマド皇太子によって近年は娯楽の面に関しても改革が進んでいます。

経済成長を視野に入れるなら、間口を増やさなければいけない。「ダメなものはダメ」ではなく、「必ずしもダメというわけではない」というイスラム教のファジーさを生かそうということでしょう。

僕は、イスラム教徒の友人たちに、「何のためにお祈りをしているのか?」と聞いたことがあります。日本人は「お祈り」と聞くと、「恋人ができますように」「商売が儲かりますように」といった具合に、願いにも似た内容をイメージすると思います。しかし、ムスリムのお祈りはもっとファジー。彼らは、あっけらかんと**「家族と友人の平和と健康を祈っている。ほとんどのムスリムはそうだと思う」**と答えてくれました。柔軟性のあるイスラム教ならではの考え方と言えるかもしれません。

アラビア語で「こんにちは」は、「アッサラームアライクム」と言います。ですが、この言葉は「ハロー」や「ボンジュール」とは趣を異にしていて、「あなたの上に平和あれ」という意味になります。

そうした意味を持つ言葉が、あいさつの言葉として交わされるイスラム教の世界というのは、平和や健康を尊重する世界でもある。その祈りをささげるために、イスラム教徒はモスクに通うのです。

誇り高くて見栄を張りたがるアラブの人々

ドバイには「200Nations 1Country」という言葉があります。これは、**200の国籍を持つ人々がドバイに集まっている**という意味です。

ドバイにはたくさんの観光客が訪れますが、彼ら彼女らが必ずと言っていいほど参加するのがデザートサファリです。ランドクルーザーで砂漠の中を突っ切って、月夜に照らされながらご飯を食べる人気のアトラクションです。

ベリーダンサーのステージを見ながら宴を張るわけですが、さまざまな国から来ている外国人たちと一緒になって、月明かりの下でみんなで踊る。白人、黒人、アラブ人、アジア人が手を取り合ってダンスをする光景は、「200Nations 1Country」そのものです。こうした姿が、イスラム教の国にもあるということを知っておいてほしいと思います。

イスラム教徒は、砂漠の民「ベドウィン」でもあります。中東は古来、戦いを繰り返してきた場所であり、そこに暮らす人々も誇り高い人たちが多いです。加えて、昨今はＵＡＥやサウジアラビアの台頭により、経済的な豊かさや国際社会での発言力も目立ち始めています。短期間で成長してきたという自負もある。

そのため彼らは、自分たちをヨーロッパ人と同列、ないしは、宗教的な要素に鑑みて上だと思っている節があります。分かりやすい例としては、自分の部下にヨーロッパ系の白人を置くことをステータスにするといったことがあります。

以前、インド自動車メーカー大手のタ

デザートサファリ

タ・モーターズが、ジャガーとランドローバーを買収しました。背景には、旧宗主国に対する感情があるわけですが、中東にも似たような傾向があります。ヨーロッパのサッカーリーグの主要チームが、産油国のオーナーに買収されるケースも一つの示威活動です。「われわれのお金によって、旧宗主国の伝統あるサッカーチームは運営されている。どうだ！　見たか！」。こうしたアクションを、トロフィーとして考える傾向があるわけです。

このように、**「見栄」をとても気にすることも、彼ららしい行動の一つ**です。実際に彼らは「限定品」を好みます。ドバイのショッピングモールなどでは、「24金の限定iPhone」が売られています。性能は普通のiPhoneと同じですが、何百万円もするカスタムメイドのiPhoneがあっという間に売り切れます。VISAカードのアナウンスでは、世界で最も衝動買いをするのはサウジアラビア人というデータもあるほどです。

イスラム教の国へ行くと、ときどきご馳走してもらえることがあります。これは親切心に加え、「どうだ、われわれの国は素晴らしいだろう？」といった見栄が少なからずあるからかもしれません。

また、アラブ諸国の多くが親日国で、日本人には積極的に話し掛けてきてくれます。詳しくは後述しますが、**日本人は中東圏において大きなアドバンテージがあります。**デザートサファリに出かけるとき、彼らは「砂漠は日本のランドクルーザーじゃないと壊れてしまう」と説明してくれます。トヨタのランドクルーザーが何十台も並んでいる姿は、中東における日本の信用度を表しているようです。

しかし、**昨今は中国や韓国にその座を奪われようとしています。**アラブ商人はブランド力があるモノを好みます。彼らにとって価値があるメイドインジャパンの製品が少なくなってきているということは、ひるがえって日本のプレゼンスが低下してきていることを物語っていると言えます。

彼らは商売人でもあり、割り切り方もドライです。労働力は経済成長の調整弁だと考え、国外から賃金の安い労働者を大量に囲います。記憶に新しいところでは、カタールでのサッカーワールドカップのスタジアム建設で、外国人労働者の酷使が問題になりました。昼間は暑さに強いインド人やパキスタン人が働き、夜になるとバスで大勢の北朝鮮労働者がやって来ていました。メイドとして働いているのは、フィリピン人やインドネシア人などです。

親日ではあるけれど、使役するのがアジア人というケースが多いため、アラブ人はアジア人に対しても上から目線になる傾向があります。現在中東の労働力は、アジア人からタンザニア、ウガンダといったアフリカ人に変わりつつありますが、インフラ整備の際は、自分たちより立場の弱い国の人を働かせるという側面があります。

しかも、インフラが整備されると、容赦なく母国へ送還してしまう。必要なくなったら手を切る。とてもドライな感覚を持っている人々だということもお忘れなく。

イスラム教の厳しさを象徴する宗教警察「ムタワ」

イスラム教はファジーである反面、ルールを守ろうという意識が強いことも事実です。宗教としての教えが守られているかを監視する「宗教警察」という存在が、イスラム社会には長らく定着していました。

先ほど、イスラム教のコーランには、人間社会における生き方や崇拝行為の規定、美醜・善悪の分別などが神の言葉（教え）として書かれていると説明しました。例えばコーランの第3章「イムラーン家」には、「善に誘い、良識を命じ、悪行を禁じる一団がお前たちの中にあるようにせよ。そして、それらの者、彼らこそは成功者である」といった一説があります。

「勧めるべき善」と「懲らしめるべき悪」という、勧善懲悪の考え方があるわけです。それは先に紹介したシャリーアの五段階の行動規範にも表れています。こうした教えをきちんと守れているかをパトロールする、いわば学校の風紀委員会のような存在が宗教警察というわけです。

宗教警察は現地で「ムタワ」と呼ばれており、イスラム教の教義に反する服装や行為を行う人に対して教育的指導を施します。サウジアラビア、イラン、イラク、アフガニスタン、パキスタン、エジプト、イエメン、ナイジェリア北部、マレーシアなどのイスラム教の国に存在し、国によっては警察よりも権力を持っています。伝統を重んじるサウジアラビアでは、「勧善懲悪委員会」と呼ばれているほど、絶対的な存在でした。

シャリーアでは、5段階の行動規範のうち、「やらなければならないこと」「やってはいけないこと」よりも、「やったほうがいいこと」「どちらでもいいこと」「やらないほうがいいこと」のほうが圧倒的に多いといわれています。ただ、その国によって物差しは変わり、保守的な国ではより厳しく取り締まる傾向が強くなります。**ムタワが国民を注意するだけではなく、逮捕してしまうほどの権力を振りかざすことも珍しくありません。**

２００2年にサウジアラビアのメッカで起きた女子校火災事件は、イスラム教の厳しさを象徴する、最たるものでしょう。

火災が発生したわけですから、当然、消防隊や救急隊が駆け付けます。ところが、民間防衛隊員は男性で構成されていたこともあり、宗教警察が「女子高に立ち入るな」と消火活動を阻みました。さらには建物から逃げようとした女学生たちがアバヤを身に着けていなかったため、あろうことか「着用しろ」と避難を妨害。その結果、多くの女学生が犠牲になりました。

僕がサウジアラビアを訪問した２０１０年前後も、ムタワの影響力はまだ健在だったことを覚えています。街中で観光写真を撮影していると、突然、「写真を見せなさい」と強制され、何の理由もなくＳＤカードを没収されてしまいました。しかも、別の場所でも同じことが起こり、僕は2度もＳＤカードを没収されてしまいました。

彼らは覆面パトカーのように、一般のサウジアラビア人と同じ民族衣装である真っ白なカンドゥーラを着ているため、判別ができません。近寄ってきて、突然、ＩＤ（警察手帳のようなもの）を見せ、「カメラを見せろ」と言うわけです。冗談抜きで、ムタワはサウジアラビアを訪問する人にとって厄介な存在でした。

しかし、**2016年以降のサウジアラビアでは、ムタワの脅威が徐々に弱まっています。**この年、アブドラ国王から、旧態依然とした国家を変えたいという野望を持つ改革派のサルマン国王に変わったことで、サウジアラビアは積極的に変化を受け入れるようになります。その息子であるムハンマド皇太子はさらに熱心な改革論者ですから、現在ではムタワはずいぶんと弱体化したと言えます。2018年には、ようやく女性の自動車の運転が解禁されました。

長らく改革が進まなかった背景には、宗教警察という特殊な存在がありました。ですが、国王が変わるだけで勧善懲悪の解釈も変わるのですから、やっぱりイスラム教は弾力性がある宗教だと言えるでしょう。

「イスラム金融」に見るイスラム教のファジーさ

前項で紹介した通り、イスラム教は、個人の生活レベルでもさまざまな制約を科す宗教です。その制約は、金融面においても同様です。

シャリーアでは、利息の受払い、不確実性取引、投機的取引、非倫理的取引（豚肉、アルコール、麻薬など）などの経済活動を禁止すると定められています。コーランの2章275節には、「アッラーは商売をお許しになり、リバー（金利）を禁じ給うた」と明記されています。「困っている人にお金を貸す際に、金利を徴収してはいけない」というわけです。

金利を禁じているということは、取引実態のないものに対してお金の支払いをすることが禁じられているということです。つまり、**銀行の貸付金の利子なども「やってはいけない」と定めている**わけです。

しかし、それでは経済が発展しづらく、国の成長につながらない。そこで、イスラム社会には、「イスラム金融」と呼ばれる独自のシステムが存在します。

イスラム金融では、利子をもらう場合、その利子に対して何かサービスやモノの対価が必要になります。簡単に言うと、**サービスやモノの対価と利子を交換するというシステム**です。

例えば、「ラーメン店を開業したい」という山田さんがいたとします。資金がない山田さんは銀行に貸し付けをお願いし、利子を付けて返済していく。本来であればこのようにお金を工面するわけですが、イスラム教国ではこうした取り引きが禁じられています。

ではどうするかというと、山田さんは現金ではなく、商品をまず受け取ります。つまり、イスラムの銀行がラーメン店の出店資金を負担し、完成した店舗を山田さんに渡すわけです。そして、山田さんはオープンしたお店で売り上げたお金をイスラムの銀行に返済していく。要するに、リース業です。

このように、イスラム教では、お金の受け渡しに対して何かしらのサービスや対価が求められます。常に5対5の関係性がなければいけないと説いているわけです（この考え方もとても合理性がありますよね）。

ただし、イスラム金融の対象になるには条件があります。イスラム教では、「武器」「ギャンブル」「ポルノ」などが禁じられています。また、ここまでにもお話ししていますが、豚肉や酒（調理酒も含む）を食べてはいけないという戒律があります。これらの産業やビジネスに少しでも関わる企業やサービスに関しては、イスラム金融の取引対象として認められていません。

他国の経済発展を見て、イスラム教国も古い規制にとらわれていては資本主義国家として成長できない。そうした動きの中から、イスラム教の法学者たちが集まり、古い慣習を守りながら、上手く法律をコントロールして規制や因習をクリアし、金融の法制度やインフラをつくり上げていく。それがイスラム金融でした。

取引対象として認められれば、銀行が先にモノをつくってしまうわけですから、イスラム金融方式を好む人もいるでしょう。実際に、イスラム金融は非イスラム教徒でも利用することができ、マレーシアでは非ムスリムがたくさん利用しているといわれています。

イスラム教は、宗教の教え自体をアップデートすることはできませんが、戒律に触れないような仕組みをつくることに対しては受け入れる姿勢がある、ちょっと不思議な宗教でもあります。「ものは言いよう」ともいいますが、まさにイスラム教は勝手の良い宗教とも言えます。

また、**イスラム教は、ユダヤ教とキリスト教のいいとこ取りの宗教**といわれています。

ユダヤ教とキリスト教では、やってはいけないことがはっきり決められています。一方でイスラム教はフレキシブルさを合わせ持ち、個人の裁量に委ねているところが大きい。洗礼といった儀式もなく、「今日からイスラム教徒になる」といって、モスクに足しげく通い祈りを捧げれば、誰でもイスラム教徒になることができます。そのため、世界では「イスラム教徒になりたい」という人が増えているほどです。

自分たちの考えを貫く「中東の異端児」イラン

中東の多くの国は、王政のような政治スタンスです。国のリーダーが選挙で選ばれるわけではありません。そのため、リーダーの意思決定が国の方針と直結します。結果、「アラブの春」のような民主化運動が起きたわけですが、言い換えれば政教分離がなされていないからこそでもあります。

中東アラブ諸国の中で、明確な政教分離がなされているのはトルコだけ。その他の国は分離していません。中でも、1978年に起きたイラン革命によって、**政治と宗教が蜜月の関係に発展してしまったイランは、中東の中で特異な存在**と言えるでしょう。

イスラム教には、シーア派とスンニ派があり、その分布は前者が10~20%、後者が90~80%といわれています。つまり、圧倒的にスンニ派のほうが多く、アラビア半島の湾岸諸国はすべてスンニ派のイスラム教国です（イエメンのみ、スンニ派とシーア派が半々といわれる）。

では、シーア派のイスラム教国はどこかと言えば、それがイランです。**イランは唯一のシーア派を国教と定めるイスラム国家**なのです。

イランという国は、シーア派の一派である「十二イマーム派」を国教とし、その最高指導者をあがめています。現在は、アリー・ハーメネイーが最高指導者として君臨しています。

イランは、イラン革命によって共和制を採用するイラン・イスラム共和国になりました。そのため、大統領は選挙で選ばれます。ところが、**最も偉いはずの大統領よりも、最高指導者の立場のほうが上**です。

この最高指導者が選挙で選ばれることはありません。最高指導者は十二イマーム派の12人の1人であって、血筋で選ばれます。前述したように、シーア派は「最高指導者は血筋で選ばれるべきだ」という考え方です。イランはそれを今なお絶対視しているわけです。そのため、国民が大統領を選んだところで、国の意思決定は最高指導者が決めるため、大統領は形式的なリーダーに過ぎない、ということになります。

こうした厳格さはムタワにも言えることで、イランにおけるムタワの存在は今なお強固なままです。

昨年9月、ヒジャブ（顔を覆うスカーフ）の被り方がおかしいということで、女性がムタワに捕まる事件が発生しました。彼女は拘置所で私刑に遭い、殺されてしまいます。この事件が明るみに出ると、イラン国内で大規模なデモが発生しました。「この国はおかしい」「宗教警察を倒せ」といった反政府デモです。

このときイラン政府はデモに協力した人々を次々と逮捕し、牢獄に送り込みました。中には死刑になった人もいるといいます。こうした人権を無視した姿勢を西側諸国は強く非難し、さらにイランとの溝は深まってしまいました。

今まで説明してきた中東の国と違い、明らかにイランが異端だということが分かると思います。

シーア派＝過激派という印象を抱く人が多いと思いますが、その印象はイランをはじめとしたシーア派の国によるところが大きいのでしょう。僕自身は、シーア派だからテロを起こすと短絡的には思ってはいません。しかし、レバノンのシーア派イスラム主義の武装組織ヒズボラなどをイランが支援していることで、結果的にシーア派の過激さが目立ってしまっていることは事実だと思います。

UAEやサウジアラビアを思い返してください。彼らは、大陸のつなぎ目という個性を生かし、独自に発展してきました。ときに柔軟に考え方を変え、時代にアジャストするように変化を受け入れてきた。一方、イランは革命以降、かたくなに自分たちの考え方を変えずに大国へとステップアップしています。

前者はスンニ派を、後者はシーア派を国教と定めています。イスラム教を形成する慣習と血筋は、今も続いていることが分かると思います。新しい考え方と古い考え方というと語弊があるかもしれません。ですが、そういった違いがあることで、中東の国に格差が生まれていったことも確かだと思います。

では、なぜそうした混沌が生まれてしまったのか。次章で詳しく紐解いていきましょう。

第3章

中東各国の関係
これまでの100年

混沌の原点となったイギリスの「三枚舌外交」

歴史の教科書を開くと、中東には「〇〇朝」といったたくさんの王朝や帝国が登場します。それぞれに独自の文化やルールがあったわけですが、中東の秩序は第一次世界大戦（1914〜1918年）後に刷新されます。

第一次世界大戦で、イギリスはオスマン帝国と交戦します。その際、イギリスはオスマン帝国に勝利するために異なる相手と三つの協定を結びます。その結果、中東は第一次世界大戦の勝者によって、地域が強制的に線引きされてしまいます。イギリス、ロシア、フランス、そうした第一次世界大戦の戦勝国によって、オスマン帝国の領土は分割されてしまいました。

中東に混沌を生み出した原点は、異なる相手との三つの協定にあると言っても過言ではありません。よく「二枚舌外交」といわれますが、イギリスは同時期に三つの約束をしています。「三枚舌外交」で何が起こったのかを知ることが、中東の現代史を理解するポイントになります。

三枚舌外交の一つ目。それが、**1915年に締結された「フサイン=マクマホン協定」**です。

この協定は、イギリスが戦争に勝ったらパレスチナという土地にアラブ人の国をつくるという、アラブ人との約束です。このことから、アラブ人は戦争に巻き込まれることになります。

二つ目が、**1916年に締結された「サイクス・ピコ協定」**。イギリスがロシアとフランスと約束したもので、戦争に勝ったらオスマン帝国のアラブ人地域をこの3国で分けるという内容です。

具体的には、イギリスはシリア南部とイラクの大半を含む南メソポタミアを、フランスはシリアやレバノン地方とアナトリア南部、イラクの一部を、ロシアは黒海東南地域を、そしてパレスチナを含むエルサレム周辺地域は国際管理地域とするというものでした。世界地図を見ると、シリアやレバノン、イラクの国境が直線になっているのが分かります。これは、「サイクス・ピコ協定」の名残です。

以前、フランス国籍を持つカルロス・ゴーン氏がレバノンに逃亡したというニュースがありました。このエリアにフランス系が多いのも、このような理由があるからです。

ちなみに、IS（イスラム国）の主張は、「サイクス・ピコ協定」を覆して、自分たちの民族や宗教に立ち返った国境線を引き直すというものです。理念だけを聞くと、真っ当なことを言っていると思う人は、多いのではないでしょうか。

この協定で最も大きな被害を受けたのが、

「サイクス・ピコ協定」によって定められた国境

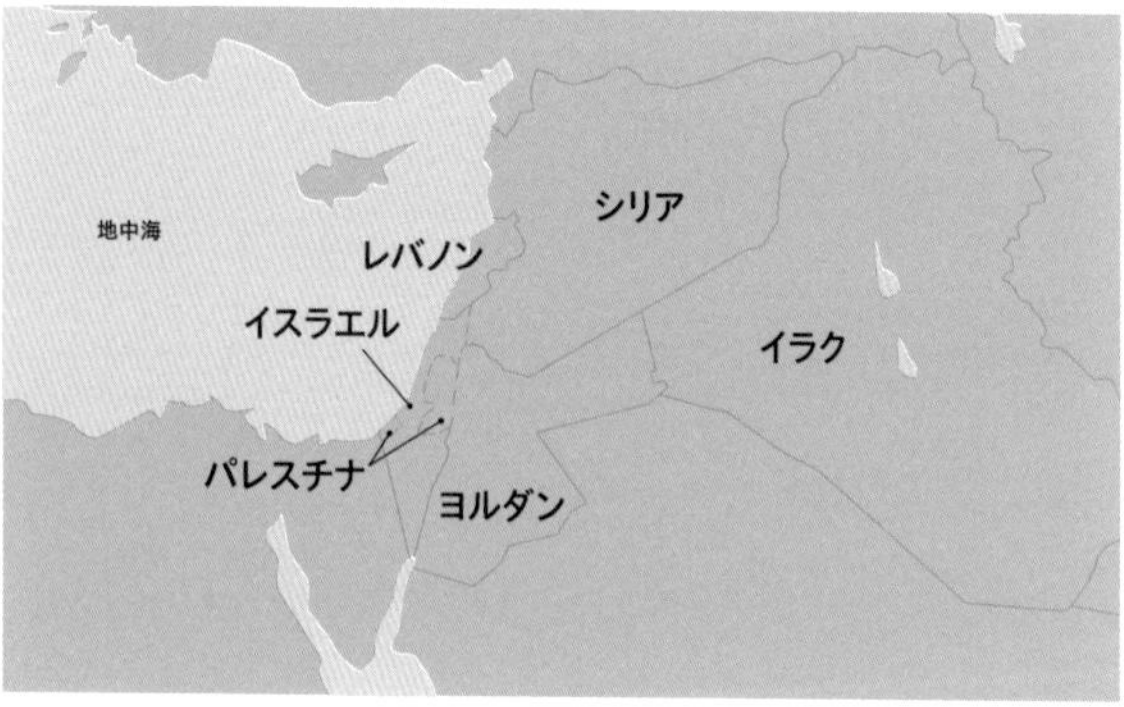

地中海
レバノン
シリア
イスラエル
イラク
パレスチナ
ヨルダン

クルド人でした。世界最大の、国を持たない民族といわれるクルド人は、分割されたこの地域に暮らしていました。ところが、戦勝国によって分断されたため、４５０万人いたとされるクルド人は、バラバラになってしまうのです。

その結果、彼らはトルコでもシリアでもイラクでも少数民族扱いされ、権利を得ることができなくなってしまいました。**弾圧されていく中で、自分たちの国をつくると組織化されたのが過激派の「クルディスタン労働者党」であり、今のクルド人問題へと続いていきます。**

そして、三つ目が**１９１７年の「バルフォア宣言」**。イギリスが勝ったら、イスラエルというユダヤ人の国をつくるという約束です。

戦争が終わると、約束されたユダヤ人は、イスラエ

中東に混沌を生み出したイギリスの「三枚舌外交」

①	フサイン＝マクマホン協定	戦争に勝ったらパレスチナにアラブ人の国をつくる
②	サイクス・ピコ協定	戦争に勝ったらイギリス・ロシア・フランスでオスマン帝国のアラブ人地域を分ける
③	バルフォア宣言	戦争に勝ったら、イスラエルというユダヤ人の国をつくる

ル・パレスチナ周辺に戻ってきます。彼らはこの地域に暮らす人のうち、約80％を占めるアラブ人を追い出し、イスラエルという国を建国します。

当然、衝突が起こります。散発的に衝突を繰り返していた結果、ついに1948年にイスラエルとエジプト、ヨルダン、レバノン、シリア、イラクのアラブ諸国との間で戦争が勃発します。これが第一次中東戦争です。

戦争に勝利したイスラエルは、パレスチナ地域を占領します。**70万人以上のパレスチナ人は難民となり、周知の通り、現在へと続く「パレスチナ問題」として禍根を残すことになる**わけです。

このように、現在僕たちが目にする中東の問題は、第一次世界大戦によって引き起こされたと言えるのです。

政権によって180度変わるアメリカとイランとの関係

国連加盟国のうち138カ国がパレスチナを国家として承認していますが（2021年時点）、日本では国として認めておらず「パレスチナ自治区」と呼ばれています。**中東和平を考えるとき、パレスチナ問題は基本の「き」です**。この問題が解決しない限り、第一次世界大戦から始まった中東の混乱は終わりません。

アラブの人たちが考えているパレスチナの大義とは、パレスチナ人が安全な居住区で暮らせることです。至極真っ当な主張であり、この大義を最も重要視している国がイランです。それを脅かす存在であるイスラエルと、イスラエルを支援するアメリカをイランは許さないという構造が、大前提としてあるわけです。

驚くことに**イランの国家理念には、「イスラエルを滅ぼす」という国是が含まれています**。イランからすれば、イスラエルは聖地・エルサレムを奪った悪者であるという考え方です。そのため、地球上から排除するべきであると主張している。だからと言って戦争行為を容認していいことにはなりませんが、こうした国是を掲げるほど根が深い。

2023年3月、IAEA（国際原子力機関）は、イランの核施設で濃縮度が84％ほどの高濃縮ウランが見つかったと報告しています。イラン側は「意図しない濃縮が起きた可能性がある」と表明していますが、ウランの濃縮度が90％以上になると核兵器への転用が可能とされています。イランが核兵器を作ることのできる状況にある可能性は極めて高いわけですから、当然、イスラエルは危機感を覚えています。

イランは、あくまで平和的利用で核を開発していると謳っています。実際、イランにはがん患者が多く、電気も足りていない。がん治療用の放射線治療や原子力発電のために核を開発しているという側面も、確かにあるでしょう。

こうした点から締結されたのが、2015年の「イラン核合意」です。**当時のアメリカ大統領だったオバマ氏は、イランの言い分を受け入れました。**「分かった。では、監視付きでイランの核開発を進めさせよう」と提案し、約束が守られていれば段階的に経済制裁を解除していくと理解を示したわけです。国連安全保障理事会の常任理事国であるアメリカ、イギリス、フランス、ロシア、中国およびドイツの6カ国とイランは、こうしてイラン核合意を履行しました。

ところが、オバマ氏の後に大統領になった**トランプ氏は、「イランは約束を守っていないのに、経済制裁が緩和されて財政が豊かになっていく。一方的にイランにとって都合のいい合意である」として、「イラン核合意」を離脱**します。

トランプ氏とイスラエルは、イランに対して強硬な姿勢を取り続け、ついにはイランの脅威を抑えるために、前述したアブラハム合意を締結させます。イスラエルとアラブ諸国が対立していても、パレスチナ問題は解決しない。だったら、手を取り合うことで解決の道を探ろうというわけです。

「イランのような過激な考え方を持つ国があることはお互いにとっていいことではないから、ともに包囲網をつくろうじゃないか」と提案し、暗礁に乗り上げていた中東和平を進めるべく、**イスラエルとUAE、バーレーン、モロッコ、スーダンのアラブ4カ国は握手をした**のです。

アブラハム合意で交わされた約束は、これまでイスラエルが進めていたパレスチナ、ヨルダン川西岸地区への入植をストップさせるものでした。イスラエル軍は、パレスチナ人が暮らすヨルダン川西岸地区へ勝手に入るや、パレスチナ人の住居やお店を強制退去させていました。「ここはイスラエルが都市開発をします。工場を作るから出て行ってください」。こうした理不尽な入植を、今後は一切やめるように伝えたわけです。

トランプ大統領時代は、アブラハム合意が守られていました。そのため、合意を交わした国だけではなく、サウジアラビアとの関係も良好でした。実際、イスラエルのネタニヤフ首相とコーエン外相は、毎年恒例のイスラム巡礼のためにイスラエルのテルアビブからサウジアラビアのジェッタに向かう直行便を就航させる交渉を、サウジアラビアと行っていたほどでした。

ジェッダ空港は、メッカから一番近い空港なので、「メッカへの玄関口」ともいわれています。イスラエルからメッカ巡礼をする人のために直行便を就航させる。これは中東和平を考えたとき、とても大きなインパクトを持つニュースでした。

ところが、**トランプ大統領が去ると、イスラエルはパレスチナへの入植を再開するようになります。**それどころか、パレスチナ（ヨルダン川西岸地区）に暮らす民間人が抵抗しようものなら、イスラエル軍は射殺してまで入植活動をエスカレートさせている。アラブニュース、アルジャジーラ、ガルフニュースといったアラブ圏の報道機関は、そう伝えています。

イスラエルのネタニヤフ首相は、これまでに6回の政権を築いています。現在の内閣にはシオニストと呼ばれる強硬派のユダヤ民族主義者が加わっており、極右と言えます。以前の政権に比べ、よりパレスチナに対して強硬的な態度に出るものであり、実際に強硬政策に舵を切ってしまいました。

アラブ人もパレスチナ人も、アブラハム合意が守られていないわけですから、当然反感を持ちます。その結果、現在はイスラエルとアラブ諸国の距離は再び離れつつあります。リーダーの方針一つで、よくも悪くもガラッと関係性が変わってしまう好例と言えるでしょう。

イスラエルを囲む「シーア派の三日月地帯」

イランは、シーア派の一派である「十二イマーム派」を国教とし、その最高指導者をあがめていると先述しました。イランの前身は、1925年にレザー＝ハーンが建国したイラン（ペルシア）の王朝「パフレヴィー朝」になります。

1935年に国号をイランに改め、欧米の石油資本と結び付いたことで、イラン（パフレヴィー朝）は西欧化していきます。その結果、1979年に親米路線を危惧したイスラム原理主義勢力がイラン革命を起こし、パフレヴィー朝体制は崩壊します。

このとき、「十二イマーム派」を国教とする、現在の体制が築かれます。「十二イマーム派」への回帰は、実に16世紀初めに神秘主義教団サファヴィー教団がイランに建国した「サファヴィー朝」以来となります。この時代、サファヴィー朝はスンニ派のオスマン帝国と抗争するなど、シーア派であることを強調していました。その路線に現在のイランは回帰し、反米に舵を切った……こうした姿勢はイランという国を考えるとき、とても分かりやすいイデオロギーでもあります。

イランは、イスラム教シーア派の民兵組織をサポートしているといわれます。例えば、レバノンのヒズボラ、イエメンのフーシ派、イラクのマハディ軍などはすべてシーア派ですが、軍事支援、資金支援を提供しているのはイランです。シリアのアサド体制も、アラウィー派というシーア派の一派です。

これらはイスラエルを取り囲むようにして三日月の弧を描いていることから、「シーア派の三日月地帯」と呼ばれています。事実上のイランの遊撃部隊が近くに潜んでいるイスラエルとすれば、イランに対して心中穏やかではないことは明白でしょう。**ちなみに、2023年10月時点でイスラエルと衝突しているイスラム組織のハマスはスンニ派ですが、こちらもイランがサポートしている**といわれています。

また、イランは、イラン軍とイスラム革命防衛隊（IRGC）という二つの軍隊を有している点も特徴です。最高指導者が指揮するイランは独裁政権であるため、クーデターが起きやすい環境でもあります。歴史を鑑みたとき、クーデターの首謀者は軍

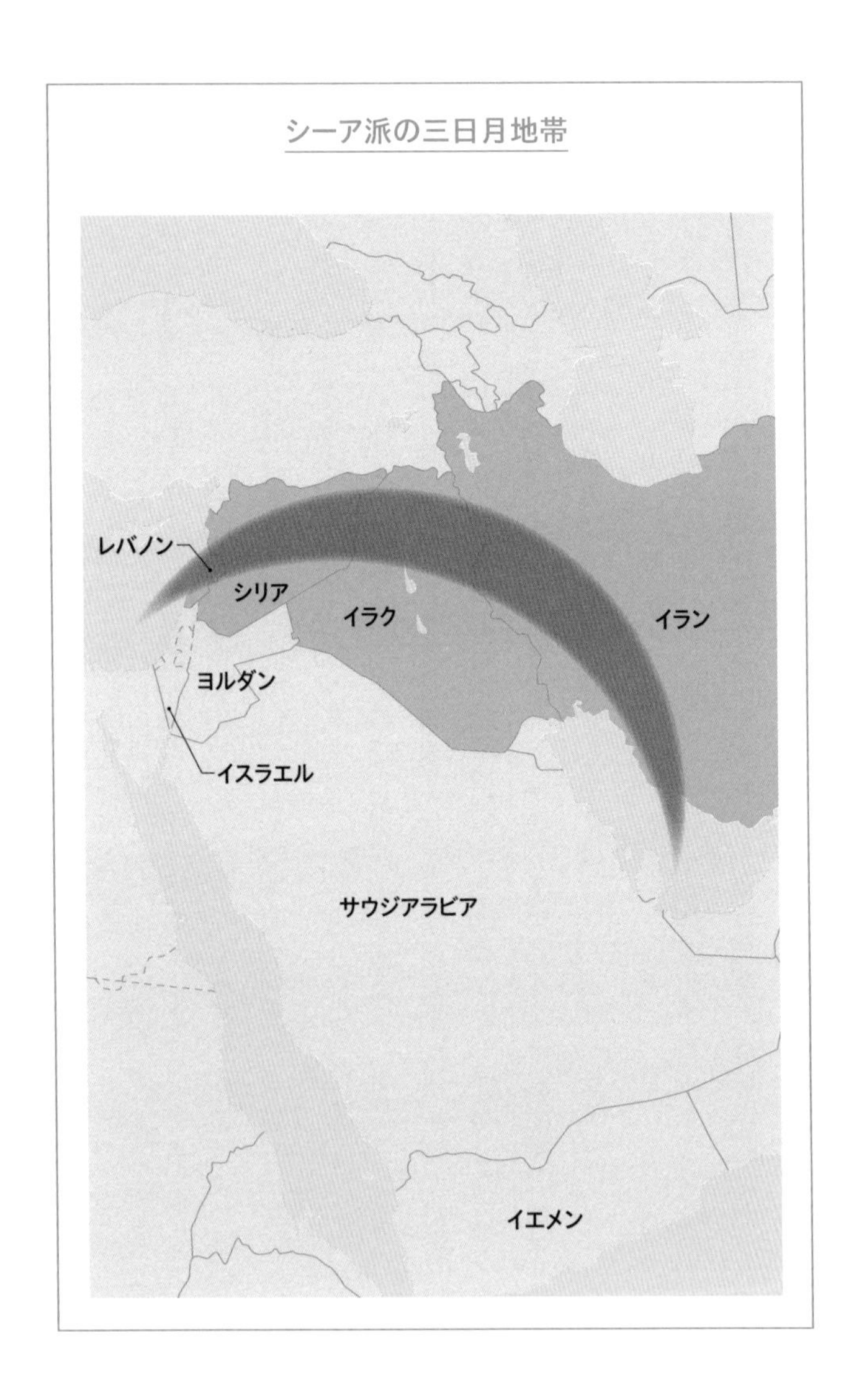

シーア派の三日月地帯

部が圧倒的に多い。そこでイラン革命後、イランはお互いの軍を監視するために、軍隊を二つ設けることにしたわけです。お互いが監視し、競争し合うため、極めて強固な軍隊だといわれています。

ヒズボラやハマスがイスラエルを攻撃するということは、間接的にイランがイスラエルを攻撃しているようなものです。イスラエルは、「タコと戦う場合、足だけでなく、頭部を攻撃するべきだ」という「オクトパス・ドクトリン」を独自に掲げ、イラン国内への攻撃の必要性を主張しています。

イスラエルとしてもイランのウラン濃縮を放っておくわけにはいかない。そこで、イランの心臓部を狙わなければいけないと公言している。**僕たちが想像している以上に、両国の緊張は高まっています。**

では、万が一両国が衝突した場合、アメリカはどれくらい関与するのか。**実戦となった場合、アメリカはイスラエルを援助できない**ともいわれています。

アメリカには、ヨーロッパと中東と東アジア、三つの重要戦域があります。かつてのアメリカは、このうち二つに同時に介入できるほどの経済力と軍事力を誇っていましたが、現在は一つにしか集中できないという見方です。

ロシアのウクライナ侵攻に対するウクライナ支援に注力している間は、イランとイスラエルが戦争になっても参加できる余裕はない。実際にイスラエルもそのことを理解し、「単独で戦う」と公言しています。

だからと言って、イスラエルが孤立しているかと言うと、必ずしもそういうわけではありません。中東諸国の中で比較的イスラエル寄りといわれていたのが、エジプト、ヨルダン、スーダン、バーレーン、UAE、サウジアラビア、クウェート、オマーン、カタール。そして、どちらかというとイラン寄りがパレスチナ、レバノン、シリア、イエメン、イラクでした。過去形にしているのは、2023年3月にイランとサウジアラビアが和解をしたことで、再びパワーバランスが変わろうとしているからです。この点については次章で詳しく説明します。

先述したように、**1979年にカーター大統領の仲介でエジプトとイスラエルの間で国交が樹立**します。エジプトはイスラエルを支持する立場にあるものの、イスラエルのイラン攻撃に対して賛成はしていない。あくまでも戦争反対という立場を、エジプトのシーシー大統領は表明しています。

続いて**1993年に、クリントン大統領の下でイスラエルとパレスチナが国交を樹立する「オスロ合意」が締結されます。**この歴史的和解の功績が認められ、イスラエルのラビン首相はノーベル平和賞を受賞します。

ところが、**その1年後に、ラビン首相は和平反対派のイスラエル人青年に暗殺されてしまいます。**イスラエルの中にも、アラブ諸国と仲よくやっていこうという流れと、断固として拒否するという流れ、穏健派と過激派があるというわけです。

そして、サウジアラビアをリーダーとする湾岸諸国6カ国（湾岸協力理事会）は、イスラム教スンニ派の絶対君主制の国々です。イスラム教シーア派の十二イマーム派を国教と定めるイランとは仲がよくありません。

2015年から始まったイエメン内戦はその最たる例でした。イスラム教シーア派武装組織のフーシ派がクーデターを起こし、ハーディー政権を打倒します。以後、ハーディー政権派とフーシ派による武力衝突が起きるわけですが、前者を支援しているのがサウジアラビアやUAEといった湾岸諸国に加え、アメリカやフランス。対して、後者を支援しているのは、イランやシリア、ロシアといった国々です。

スンニ派の盟主であるサウジアラビアと連携している国々と、シーア派の盟主・イランと連携している国を見てみると、弾力性がある国とそうではない国に分かれているように見えてしまうから不思議です。

イスラエルとイランという二つの大国の対立構造を中心に、中東は干戈（かんか）を交えています。その火種を蒔いたのが、今から約１００年前に起きた第一次世界大戦だったのです。

石油が眠る中東は列強から狙われる

中東の戦火は、第一次世界大戦によって引き起こされた。そして、**もう一つ混乱を生み出す原因となるものがありました。それが、「石油」**です。

石油産業は、１８５９年にアメリカ・ペンシルベニア州タイタスビル近くのオイルクリークで、出油に成功したことを始まりとします。

このビジネスにいち早く目を付け、巨大産業化させた人物が、ジョン・Ｄ・ロックフェラーです。１９３７年に97歳で亡くなり、当時の遺産はなんと14億ドル。当時のアメリカ経済の１・５％以上を占めていたといわれます。

彼は１８７０年、アメリカでスタンダード・オイルという石油会社を創業します。ロックフェラーは、タール塗料、ワセリン、チューインガム原料など３００以上の石油化学製品を開発し、その特許で富を築いていきました。

同社は、当時のアメリカの石油市場のおよそ90％を占めていたといわれます。これはアメリカの反トラスト法（独占禁止法）に抵触し、会社の規模を制限する各州の動きに対応して、信託（ビジネス・トラスト）を企業形態とするスタンダード・オイル・トラストという会社が設立されます。

そして、傘下の企業（スタンダードオイルニュージャージー、スタンダードオイルニューヨーク、スタンダードオイルカリフォルニアなど34社）を支配する体制に再編成するのですが、実質的な独占に変わりはありません。ついに1911年に連邦最高裁から解体命令が出され、スタンダード・オイルは34の新会社に分割されていきます。

アメリカでロックフェラーが石油ビジネスに目を付けた同時期、ロシアの石油産業も発展していきます。1887年には、ロシア産灯油が世界17カ国でアメリカの灯油と競争するまでに成長します。その後押しをしたのが、後にノーベル賞の元になるスウェーデンのノーベル兄弟と、フランスのロスチャイルド家でした。そして、イギリスの貿易商マーカス・サミュエルがロスチャイルドとの間で、1900年を期限とするロシア産灯油の独占販売契約を締結し、1897年にシェル運輸貿易会社を設立することになります。

さらに1908年、イギリスのウィリアム・ノックス・ダーシーがイランで最初の油田を発見し、翌年に後のブリティッシュ・ペトロリアム（現在のＢＰ）の原形であるアングロ・ペルシャン石油会社を設立します。アメリカでも油田の発見が相次ぎ、テキサス燃料会社（後のテキサコ）、ガルフ石油会社といった企業が設立されます。

１９１１年に解体されたスタンダードの３社（ニュージャージーは後の「エクソン」・ニューヨークは後の「モービル」・カリフォルニアは後の「シェブロン」）、シェル、アングロ・ペルシャン、テキサス、ガルフの国際石油企業は７大メジャーズ（通称・セブンシスターズ）といわれ、国際石油産業は20世紀初頭には完成しました。僕たちが知っている企業が、１００年前にはすでに存在していたことからも、いかに強大な力を持つ石油企業であるかが分かるかと思います。

このように、**アメリカやイギリス、ロシアが有する国際石油企業が急速に成長していく中で、世界は第一次世界大戦へと突入していく**ことになります。何が起きるか、想像に難くないですよね。

第一次世界大戦では、戦闘機や戦車などが台頭します。そのためのエネルギーとして石油は垂涎（すいぜん）の的になる。おのずと資源獲得という側面をはらんでいき、石油が眠る中東は格好の狩場として狙われるようになります。

先述した「サイクス・ピコ協定」は、列強による分かりやすい支配です。石油が眠る場所は列強から狙われる。あるいは石油の供給ルートが阻害される。そして、戦争が起こる。20世紀の戦争は、石油と切っても切れない関係なのです。

1920年代になると、フォードの自動車が大衆化し、さらに石油の需要は高まります。1930年代には、バーレーン、クウェート、サウジアラビアで大規模な油田が発見されます。ただし、産油国といわれる地域は長い間搾取される側で、欧米とは対等な関係にはなれませんでした。当時の産油国は、自分たちで掘る技術や精製する技術を十分に持ち得なかったからです。

そのため、メジャー系の石油企業は、原油の公示価格を一方的に引き下げるなどコントロールできる立場にありました。しかし、徐々に産油国も技術や財政が追い付いてくる。そこで、石油価格の主導権を握られるのを防ぎ、自国の利益を守ろうという目的で、1960年にイラク、イラン、クウェート、サウジアラビアおよびベネズエラの5カ国は、「石油輸出国機構（OPEC）」を設立します。

さらには、1968年になるとアラブ諸国のみでアラブ石油輸出国機構（OAPEC）が設立され、搾取されるのではなく自分たちで国有化し、産業として発展させていく。そうした動きが活発になっていきました。

この時代、イギリスの石油資本と強く結び付いたことで、国内が欧米に傾倒していったイランでは、先述したイラン革命が起こります。欧米の言い分に反旗を翻したこの革命も、元をたどれば石油が大きな原因となっているのです。

現在、エクソンモービル、シェル、BP、シェブロンなどをスーパーメジャーと呼ぶ一方で、サウジアラムコ（サウジアラビア）、ペトロナス（マレーシア）、ペトロブラス（ブラジル）、ガスプロム（ロシア）、中国石油天然気集団公司（中国）、イラン国営石油（NIOC）（イラン）、ベネズエラ国営石油会社（PDVSA）（ベネズエラ）の七つの国営企業が「新・セブンシスターズ」と呼ばれています。

このうち最も時価総額が大きいのは、サウジアラムコです。サウジアラビアの成長は、第1章で触れた通りです。**搾取される立場から脱却した一方で、石油に依存する国として画一的な成長にとどまってしまう**という側面も生みました。よくも悪くも、石油によってがんじがらめになった100年だったのです。

「湾岸危機」からつながる「9・11同時多発テロ」

僕たちの生活に、石油は欠かせないものです。一方で、石油によってもたらされた悲劇があるということも、知っておいてほしいと思います。

1990年に、「湾岸危機」が起こりました。イラク軍によるクウェート侵攻に端を発したもので、1980年から1988年にかけてイランとイラクの間で行われたイラン・イラク戦争に起因します。

もともと両国には、ペルシア湾岸の石油資源を巡る対立など、険悪なムードが漂っていました。輪を掛けて、**1970年代に起きたイラン革命によって、当時のイラク大統領であるサダム・フセイン氏が脅威を感じ、イランに侵攻**します。

フセイン氏本人はスンニ派であり、北部のクルド人と南部のシーア派を抑圧する形で政権を維持していました。イラク国内はシーア派が国民の半数を占めるため、フセイン氏は革命の輸出を恐れたといわれています。結果的にイラン・イラク戦争は、スンニ派とシーア派の抗争という構造になってしまうわけです。この戦争は、国際連合安全保障理事会の決議を受け入れることで、停戦という形で終焉（しゅうえん）を迎えます。

余談ですが、ペルシア湾が戦場と化したことで、戦争期間中にサウジアラビア、クウェート、UAE、カタール、バーレーン、オマーンは湾岸協力理事会（GCC）を結成し、地域の連携を図ったという背景があります。湾岸諸国はスンニ派国家ですから、スンニ派政権のイラクを後押しする構図で、このときもサウジアラビアとイランは国交を断絶しているほどです。すべてつながっているのです。

イラン・イラク戦争によって、イラクは多額の国際的な負債を抱えることになります。その結果、**お金を借りていたクウェートに侵攻し、石油資源を強奪しようと考えた。これが「湾岸危機」**です。

クウェートから撤退しないイラクに対して、国連はアメリカをはじめとする多国籍を送り込み、「危機」から「湾岸戦争」に発展してしまいます。

実は、先のイラン・イラク戦争では、アメリカはイラクを支援し、反米路線であるイランを叩いてくれるなら好都合だと大量の武器と資金の援助を行ったほどでした。そのためフセイン大統領は、アメリカは黙認するのではないかと期待していたといわれています。しかし、現実はそうはならなかった。**数年前まで武器や資金を援助してくれたアメリカから、イラクは徹底的に叩きのめされることになります。**

こうした背景がある中で、**2001年、9・11同時多発テロが発生**します。首謀者である武装組織「アルカーイダ」を組織したウサーマ・ビン・ラーディンは、もともとサウジアラビアの大富豪の息子でした。サウジアラビアのいたるところで行われている建設のほとんどは、ビンラディングループによるものです。日本で言うなら、巨大ゼネコン企業を持つグループの御曹司の1人だったのです。

彼は、ソ連のアフガニスタン侵攻に憤りを覚え、イスラム原理主義集団に加わり、アメリカの武器支援を受けてソ連軍と戦った過去を持ちます。しかし、**湾岸戦争の際に、アメリカ軍がサウジアラビアに駐留、聖地・メッカに土足で踏み入ったことなどを受け、アメリカを非難するようになります。**そして、アフガニスタンのタリバン政権のもとで、虎視眈々とその機会を狙っていました。

9・11同時多発テロを機に、「ジハード」という言葉が日本に浸透するようになりました。実際に、ビン・ラーディンもジハードという言葉を幾度となく使っています。ジハードとは、コーランにある「神の道のために奮闘することに務めよ」という句の中の「奮闘する」「努力する」という意味の動詞「jahada（ジャハダ）」を語源としているとされています。本来、戦闘的な意味で使われるケースは少ないのです。

そして、ジハードには、「大ジハード」と「小ジハード」がある、ということはあまり知られていません。前者は「奮闘する」「努力する」といった本来の意味を持ち、個人の信仰を深める内面的努力を指します。後者は異教徒に対しての戦い、それも「防衛戦」を意味しています。

ソ連によるアフガニスタン侵攻では、ソ連軍によってイスラムの伝統と自尊心を踏みにじられたという理由から「ジハード」と意義付けています。本来持ち得る「防衛戦」としての「ジハード」だったことが分かります。

しかし、今日では異教徒討伐や非ムスリムとの戦争を表す「聖戦」として語られてしまっています。ジハードという言葉には、「聖」の意味は含まれておらず、そもそもジハードを「聖戦」と和訳することも正確ではありません。僕たちは、**「聖戦の名**

のもとに戦闘行為を繰り返している地域＝中東」というイメージを抱いてしまいます**が、それは間違った解釈とも言える**わけです。

9・11同時多発テロを受け、アメリカはアフガニスタンのタリバン政権を倒します。イラク、イラン、北朝鮮を「悪の枢軸」と非難するようになり、ついには「イラクが大量破壊兵器を隠し持っている」との理由から、2003年にイラク戦争が勃発します。G・W・ブッシュ（子）大統領はフセイン政権の瓦解に成功しますが、大量破壊兵器を見つけることはできませんでした。

結局、この戦争は、**イラクが持っていた資源をアメリカが狙った戦争だったのではないか**などと揶揄（やゆ）される結末を迎えます。イラクは国が壊され、アメリカも1兆1000億ドルから3兆ドルといわれる財政を支出してしまいました。人的被害に関しては、500万人の孤児と10万人のイラク人の命、そして7000人以上のアメリカ兵が犠牲になったといわれています。一体、誰のための戦争だったのでしょうか。

中東の100年は、戦争、搾取、説教の時代である

サダム・フセインと聞くと、独裁者といったイメージが強いと思います。しかし、その実態は、私たちのイメージと少し異なるところもあります。

イラクという国は、多民族国家で多宗教かつ多宗派が混在する国です。特に、イスラム教スンニ派、イスラム教シーア派、クルド人の三つの勢力がぶつかり合う、極めて緊張感を伴う国でした。これは先に説明したように、第一次世界大戦後に、勝手に国境が引かれてしまったからです。

あちこちで民族同士の対立が起きる国では、**フセイン氏のような強権政治は一定の安定をもたらします**。例えるなら、圧倒的に強い番長がいるとほかの不良は逆らわなくなり、無駄な争いは生まれづらくなるようなものです。フセイン政権時代のイラクは、クルド人を弾圧しているといった非人道的な問題こそありますが、国境では軍隊が目を光らせ、テロリストが生まれるといった環境も許さなかったんですね。

しかし、よくも悪くも重石がなくなると、ここぞとばかりに好き勝手なことが起こり始め、部外者が侵入してきます。

フセイン氏は、クルド人だけではなく、国民の半数以上を占めるシーア派も抑圧することで政権を維持してきました。フセイン政権の上層部と官僚は、フセイン氏と同じくスンニ派で固められていた。ところが、**イラク戦争が終焉し、フセイン氏がアメリカに拘束されると、国内ではそれまで抑制されていたシーア派の鬱憤が爆発**します。そうして上層部と官僚たちをはじめとした「スンニ狩り」が起こり始めました。

スンニ派の人たちは逃げる際にアメリカ兵が置いていった武器を手に取り、武装化していきます。**フセイン政権の幹部で動いていた人間たちを中心にしてスンニ派の人たちが武装化する。その組織が、今のＩＳ（イスラム国）**です。

２０２０年のアメリカ大統領選挙前に、サウジアラビアのアラブニュースは、アラブ圏の21カ国に対して、**「もしもバイデンが大統領になったら中東はどうなると思いますか？」**というアンケートを取っています。

老若男女問わず、８０００人のアラブ人にアンケートを取ったところ、54％（およそ4200人）の人が回答し、半分以上の人たちが**「オバマ政権の頃の中東に逆戻りする」**と答えています。オバマ大統領時代の中東は、あちこちで戦争や内戦が勃発した不安定な時代です。バイデン氏は、オバマ政権下の副大統領だったわけですから、「逆戻りする」と不安視しているのです。

オバマ政権の時代は、イラク戦争の戦後処理が行われていた時期でもあります。フセイン氏が拘束、処刑され、彼に代わる新しい民主主義政権をつくろうとアメリカが動いていた時代です。また、アフガニスタンのタリバン政権を崩壊させるべく、アメリカが決断したアフガニスタン侵攻は、開戦から2カ月ほどでタリバンに勝利こそしますが、泥沼化してしまった。結局、アメリカ軍は2021年に完全撤退します。

さて、その結果、今どうなっているでしょう。僕は一度だけイラクに行ったことがあります。そのとき出会ったイラク人のほとんどが、「フセインの頃のほうが平和だった」と話している姿が印象的でした。

アメリカもヨーロッパも、イラク戦争に関しては、政策を間違えたと謝罪しています。「大量破壊兵器は見つかりませんでした。アメリカのミスでした」と認めている。しかし、それはアメリカ国民に対する謝罪であって、イラクには謝罪していません。

中東の混乱と格差は、外圧によって生まれ、今も苦しめられている。この100年間というのは、中東にとって戦争と搾取と説教の時代だった。戦争を起こされ、石油を搾取され、そして人権を直せと強制的に指導される。

「バイデン大統領になったことで、また同じことが起こるのではないか？　もううんざりだからやめてくれ」

だからこそ、彼らは意思を表明し、その流れが加速しているのです。

カタールの国営衛星放送局であるアルジャジーラは、2023年6月6日のニュース記事で、こんな見出しを打っています。

「The Middle East：Goodbye America, hello China?（さようならアメリカ　こんにちは中国）」

第 4 章

中東と世界の関係
これからの100年

中東と世界の懸け橋となるか。存在感を高めるトルコ

イスラエル、イラン、サウジアラビア。大国同士がにらみを利かせる中、存在感を高めつつある国がトルコです。

トルコはイスラム教の国ですが、街中で普通にお酒を飲むこともできますし、女性は比較的自由な服装をしている、さほど戒律に厳しくないイスラム国家です。

オスマン帝国時代は戒律に厳しい国だったとされていますが、近代化に舵を切るに当たり、建国の父といわれるムスタファ・ケマル・アタテュルクが政教分離を実行したことで、現在の世俗的とも言えるトルコは形づくられていきました。

完全に政治と宗教を切り離すという点においては、イスラム教国の中でも特異な政治体制を取っている国であり、2023年にトルコ共和国成立100周年という節目を迎えたトルコのこれからは、要注目と言えます。

同年、トルコでは大統領選が行われ、現職のエルドアン大統領が再選を果たしまし

た。エルドアン大統領は保守派であることから、西側諸国は警戒心を強めているともいわれています。世俗的であったトルコが、だんだんとイスラムサイドに近づいていくのではないかと危惧しているわけです。

トルコは、アジアとヨーロッパの懸け橋のような場所にあり、ヨーロッパにとっても、中東にとっても、とても重要な国です。ヨーロッパと中東の安全保障に関して、大きな影響を与える国でもあります。

エルドアン大統領は、2014年から大統領を務める人気の高い政治家ですが、昨今は経済政策の失敗が響き、トルコリラの価値も低迷。国内における物価の高騰も問題になるなど、今回の大統領選は厳しいものになると予想されていました。実際問題として、薄氷の勝利という言葉がぴったりなほど薄皮一枚でなんとか再選を果たしました。

ところが、国外、すなわち**アラブ諸国におけるトルコのプレゼンスは高まっている**という背景があります。

ロシアのウクライナ侵攻によって、世界的に小麦の価格が上昇したことは記憶に新しいところだと思います。小麦の輸出量は全世界で約2億トンあるとされており、その3割をウクライナとロシアが担っています。両国の戦争によって、とりわけパンを主食とするアラブ諸国では物価が上昇しました。エジプトやスーダンではパンの価格上昇によるデモが起きたほどでした。日本人からすれば、あまりピンとこないかもしれませんが、アラブ諸国にとって小麦というのは、それほど大事なものなのです。

こうした状況下で、エルドアン大統領は、ロシアのプーチン大統領と黒海の港から小麦を輸出する協定を結び、止まっていたロシアからの小麦の輸出を再開させます。その結果、トルコはアラブ社会で評価を急上昇させることに成功しました。また、ウクライナ侵攻後、西側諸国とロシア、双方とテーブルに着くことができるというポジションも、トルコのプレゼンスを向上させている要因の一つです。

トルコは、これまで再三にわたってＥＵ（欧州連合）に加入することを望みましたが、いまだ実現にはいたっていません。ＮＡＴＯにこそ加入していますが、ＥＵ加盟は道半ば。その理由として、トルコがイスラム教国であるということが、しばしば話題に挙がります。

ＥＵ加盟国の国民は、ＥＵ域内であれば住む場所や働く場所を自由に選択することができます。しかしイスラム教徒の多いトルコの加入を認めれば、過激な思想を持つトルコ国民が西欧諸国に流入してくる可能性がある。また、クルド人難民、シリア人難民といった人権問題も重なり、長年にわたってトルコの加入は棚上げにされているといわれています。

こうした状況が続けば、西側諸国に対するトルコ国民の不信感が募っていくのは必然かもしれません。**「再選は厳しいのではないか」といわれていたエルドアン大統領に半数以上の票が集まったということは、イスラム主義への回帰を望む人が多いということ**です。彼のマニフェストの中には、イスラム社会との関係を強化するといったものがあるほどです。

しかも、**西側諸国最大のキープレーヤーである、アメリカとの関係性も芳しくない。**トルコとアメリカは、トルコがロシア製のミサイルを購入した2019年を境に、急激に悪化しているといった背景があります。アメリカは「お仕置きだ」と言わんばかりに、トルコに対してＦ－35戦闘機の販売を取りやめ、トルコへの武器輸出に制裁を科すほど、両国の関係は悪化を辿っています。

大統領選が行われる前、2023年3月に、トルコ国内で出馬したクルチダルオール候補と在トルコアメリカ大使館の間で会合が行われました。これをエルドアン大統領は選挙への介入だとみなして激怒したという一幕もありました。この時点で、クルチダルオール候補は大統領でも何でもないわけですから、彼が怒るのも納得です。この会談に応じていることからも、アメリカのエルドアン政権下のトルコに対する対応が分かるというものです。

このような関係が続いている中で、エルドアン大統領は再選しました。トルコが西側諸国と距離を取るのは不思議なことではありません。実際に彼は、**アラブ諸国を含めた「第三世界」とリレーションシップを強めていく**と謳っています。

第三世界とは何か。第一世界とは西側諸国を中心とした資本主義世界のこと。西ヨーロッパやアメリカ、日本も第一世界に含まれます。第二世界というのは東側の共産圏。かつてのソ連を中心とした、中国やキューバなどの国を第二世界と呼んでいます。

そのどちらにも属さない世界が第三世界です。西にも東にも属さない中東やアフリカ、南アメリカといった南側の国々。

これまでは、先進国の多い北側の国が、南に位置する新興国を経済支援するといったアクションが一般的でした。日本のODA（政府開発援助）も、まさにこのケースです。北が南を支援することから、「南北協力」といった言葉が使われていたのですが、昨今は力を付けた南側の国が南側の国を支援する「南南協力」「グローバルサウス」といった言葉が叫ばれるようになってきています。**第三世界に対して積極的に投資や支援をしていこうという流れがある**のです。

トルコの首都イスタンブールは、かつては「ビザンティン」「コンスタンティノー

これからの世界の中心「第三世界」

多くの見解で第三世界とされる国
第三世界に含まれることがある国

※第三世界に含まれる国については諸説あり

プル」と呼ばれていました。オスマン帝国、ビザンツ帝国、ローマ帝国の帝都でもあったこの地は、世界史上、極めて重要な役割を担ってきた場所です。トルコが世界社会において、重要なポジションであるということは、歴史が証明しています。

トルコが、果たしてどのようにアラブ諸国と連携を図っていくのか。中東の一員でありながら、NATOに加入し、プーチン大統領とも席を設けることができるトルコの動向は要注目でしょう。

ますます複雑さを増すアメリカと中東の関係

前章で、アメリカは中東に混乱をもたらした大きな要因の一つだと説明しました。しかし、トランプ大統領時代は一度も戦争を起こしていません。トランプ氏はそのキャラクターもあっていろいろと物議を醸す人物ですが、少なくとも対中東に関してはスマートな外交を推進していたと言っていいと思います。

半面、民主党政権の時代では必ずと言っていいほど戦争が起きていました。アラブの春、シリア内戦、イエメン内戦が勃発し、**アルカーイダやISといったテロ組織がその活動を強めるようになったのは、オバマ政権時代**です。当時、副大統領だった**バイデン氏が大統領になったことで、中東諸国がアメリカを不安視しているのはそのため**です。

実際、バイデン政権になって以降、アメリカと中東諸国の関係性は悪化の一途を辿っています。その典型例がサウジアラビアです。

トランプ氏が大統領になったとき、最初の外遊先はサウジアラビアだったほど、両国は蜜月の関係性でした。トランプ氏のビジネスは、サウジアラビアにたくさんの武器を置いてお金を稼ぐことでもあった。サウジアラビアのムハンマド皇太子とトランプ氏が一緒に武器のカタログを見て、仲よく話している姿がメディアにも掲載されたほどです。

しかし、**バイデン氏はサウジアラビアに対して極めて手厳しい対応を取るようになります。**なぜ対応がガラリと変わったのか。それは、バイデン氏のマニフェストによるところが大きいと言えます。

彼のマニフェストは、人権問題と環境問題を上位に扱っています。中東諸国のほとんどは王政であると同時に、個人の制約を課すイスラム教国ですから、人権的な問題を抱えている国も少なくありません。バイデン氏からすれば、目の敵のように映る国もある。しかし、中東諸国からすれば余計なお世話です。

バイデン政権と中東諸国との相性は、ものすごく悪い。また、環境問題に関しても、サウジアラビアやＵＡＥは産油国ですから、１人当たりのCO_2排出量がとても高い。

その点も非常にバイデン氏との折り合いが悪いわけです。

2018年にトルコのサウジアラビア領事館で起きた、ジャマル・カショギ氏というジャーナリストの殺害事件をご存じでしょうか。

彼はサウジアラビアのサウード家（王族）のスキャンダルや批判記事をワシントンポストに寄稿していたジャーナリストであり、殺害指示を出したのはサウード家ではないのかといわれています。

人権問題に厳しいバイデン氏は、この件をずっと追及し、国際社会に向けて「サウジアラビアは人権的に問題のある国だからシャットアウトする」といった趣旨の発言をしたほどでした。そこに輪を掛けて、トランプ氏が離脱したイラン核合意に復帰するという判断をしてしまいます。

こうした背景がある中で、2022年7月にバイデン氏はサウジアラビアを訪問します。ロシアによるウクライナ侵攻が始まって以降、原油価格が上昇し、アメリカ国内のインフレが加速。アメリカのガソリン価格も高騰していたので、石油価格を下げなければいけないということで、石油の増産を働き掛ける目的です。

しかし、すでにOPEC加盟国に加えて、アゼルバイジャン、バーレーン、ブルネイ、カザフスタン、マレーシア、メキシコ、オマーン、ロシア、スーダン、南スーダンの10カ国）の中で、「原油は減産する」方針が決まっていました。それにもかかわらず、バイデン氏は「増産してくれ」と申し入れました。

折りしも、そのタイミングがアメリカの中間選挙前だった。そのため、「中間選挙対策でガソリン価格を下げるために石油価格に介入してくるのか」と捉えられてしまった。その結果、サウジアラビアを筆頭としたOPECプラスの各国が、アメリカに対してものすごく反発をし、そのまま増産することなく既定路線だった減産に舵を切ったわけです。

メンツを潰されたバイデン氏は怒り心頭です。彼は、**OPECプラスのトップであるサウジアラビアを名指しで「報復する」と言ってしまった。**アメリカとサウジアラビアは同盟国です。その同盟国に対して、報復という言葉を使ったものだから、サウジアラビアも怒ります。

これも当然です。恥をかかされたからといって、言っていいことと悪いことがある。

こうしたバイデン氏の言動を見ていると、ちょっと不安になってしまうのは僕だけではないはずです。

また、前章でアブラハム合意に反して、イスラエルがパレスチナへの侵食を再開したと説明しました。彼らのこうした行為を、アメリカのブリンケン国務長官は「入植活動」と表しています。イスラエルが行っていることは、国際法違反ですから犯罪です。にもかかわらず、アメリカは「入植活動」という言葉を使って煙に巻いているわけです。

アルジャジーラは、**「ブリンケン国務長官はイスラエルの犯罪を隠すのが巧みだ」**と揶揄しています。アルジャジーラはカタール政府がお金を出している放送局ですが、カタール王族やカタール政府の批判も書くような中立的なメディアです（それを容認しているカタール政府もすごい）。そのアルジャジーラでさえ、こうした皮肉を言うほど湾岸諸国とアメリカの関係性は冷えつつあります。

元アメリカ政府高官のスティーブン・サイモン氏は、著書『大いなる妄想：中東におけるアメリカの野望の興亡』の中で、数百万人のアラブ人とイスラム教徒の死をもたらした戦争によって、アメリカは約5兆から7兆ドルを浪費したという旨を記しています。そして、これらの紛争によって数千人の米軍兵が死亡し、数万人が負傷し、約3万人のアメリカ退役軍人の自殺につながっているとも。アメリカの元高官だった人物でさえ、アメリカの関与をなくすことが、中東にとって望ましいことだと考えています。

アメリカは経済制裁を科している国から原油を買っている

２０２３年9月に、イランで長年収監され、人質となっていたアメリカ人５人が解放されるというニュースが流れました。解放を条件に韓国で保管されていたイランの資産60億ドル（約８８６０億円）の凍結は解除され、アメリカ国内では「世界一のテロ支援国家に資金を送るようなもの」といった非難も飛び交っています。トランプ政権のときには考えられないような交換条件に、アメリカは応じたわけです。

現在、**アメリカは原油の備蓄量が1980年代の水準まで戻っている**といわれています。それにもかかわらず原油価格が上がり、**蜜月だったサウジアラビアとの関係性も悪化**してしまいました。そのため、今のアメリカはいろいろな国から原油を買うといった状況が続いています。

「アメリカにはシェールオイルがあるじゃないか」と思われる方もいるでしょう。

しかし、アメリカのシェール企業は次々と撤退、あるいは廃業してしまっています。
サウジアラビアの原油は砂漠の下に平らに眠っているため、極端な話、垂直に掘りさえすればどこを掘っても湧き出てきます。ところが、シェールオイルというのは、複雑な地層であるシェール層の中に埋まっているため、縦・横・斜めに掘ることが求められます。その技術の確立を「シェール革命」と呼んでいたのですが、採掘コストがものすごく高いのです。

新型コロナウィルスが世界的大流行になったとき、原油価格は急落し、一時期マイナスを記録する異常事態にまで発展しました。原油価格が低いということは、採掘コストに見合うリターンが少なくなることを意味します。シェールオイル業界はお手上げです。

その後、原油価格は上昇気流に戻ってきたものの、大統領はトランプ氏からバイデン氏に変わってしまった。前項で説明したように、バイデン大統領の大きなマニフェストの一つが環境問題です。脱炭素化政策を進めているため、シェールオイル業界は逆風にさらされた。その結果、撤退・廃業が相次ぎ、アメリカは原油を買う状況に追い込まれてしまったわけです。

輪を掛けて、ウクライナに侵攻したロシアからの原油輸入を禁止したことで、アメリカはさまざまな国から原油を買うことになります。ついには、2022年5月に自ら経済制裁を科していたベネズエラの規制を緩和すると表明し、翌年1月からベネズエラ産原油のアメリカ向け輸出を再開しました。言っていることとやっていることが滅裂です。

そして、イランにも大量の原油が眠っています。2023年6月のロイター通信では、アメリカの制裁があるにもかかわらず、イランの5月の原油輸出と生産量は5年ぶり高水準に達したと報道されています。その記事のタイトルは「イランの5月原油輸出が5年ぶり高水準、増加分は闇市場か」です。

結局、**世界はいまだ原油の存在を無視することはできない**ということです。依存している日本は、一刻も早く再生エネルギーをはじめ、自国でまかなえる力を身に付けなければいけない。しかし、現状はどのように産油国と上手に付き合うか、その外交力が不可欠です。

中国主導「イランとサウジアラビアの国交正常化」のインパクト

２０２３年10月、アメリカのオースティン国防長官がイスラエルを訪問。中東政策に関してイスラエルとアメリカがテーブルを設けました。しかしその直後、二国をあざ笑うかのように、超特大のニュースが発表されました。

中国による、イランとサウジアラビアの国交正常化。

両国が国交正常化をしたからといって、イエメン内戦などが早急に解消されるわけではないでしょう。しかし、中国の調停によって、中東は新たな時代に突入することは間違いないと言えます。

実は、和解に向けた中国の取り組みは、今回突然行われたというわけではありません。２０２０年、中国は湾岸地域の安定と安全のための提案を、国連安全保障理事会に提出しています。中国は、ユーラシア大陸から中東、ヨーロッパ、アフリカに向けて貿易ルートをつなげる「一帯一路構想」を掲げています。そのためには、中東の安全と安定は欠かせません。**大陸のつなぎ目である中東は、中国にとって利益が得られるか否かの大きな分岐点になる**わけです。

そして、**2022年12月に、習近平国家主席がサウジアラビアを訪問**します。エネルギー、運輸、住宅分野で20以上の協定を結び、金額にして総額293億ドル以上といわれます。脱石油経済はもちろん、世界的な貿易拠点を目指し、「NEOM」という未来都市をつくろうとしているサウジアラビアにとって、中国が魅力的なパートナーに映ったと解釈して間違いないでしょう。

このとき中国は、**サウジアラビアがセッティングする形でGCC諸国6カ国との会談、アラブ連盟21カ国との会談**までも行います。サウジアラビアが音頭を取る形で、「中国さん、ようこそ」といったムードをつくり出しました。

サウジアラビアは、この時点ではまだイランと国交正常化はしていません。安全保障を考慮すると、関係にヒビの入ったアメリカがサウジアラビアを守ってくれる保証はない。ですから、イランが脅威に映るわけです。アメリカには期待できない空気感が漂う中で、サウジアラビアは中国と歩み寄ることを選んだとも言えます。

その結果、**中国は中東アラブ圏の国々を次々と味方に付けていきます**。中国は石油をがぶ飲みしているような国ですから、湾岸諸国からすれば、より多くの石油を販売することにつながる。エネルギー貿易の拡大、さらには石油以外の経済の多角化を進めていきたい湾岸産油国にとって、中国の投資はインフラ設備においても理想的なパートナーでもあるわけです。


そして、年が明けるとすぐに**中国はサウジアラビアとイランの両国に、包括的戦略的パートナーシップという最上位の地位を与え、国交正常化を果たしてしまった**。極めてスピーディーな外交的手腕と言わざるを得ません。アメリカがイランに科していた厳しい経済制裁措置を考慮すると、イランに対する中国の措置はイランの経済的利益を約束するようなものです。

サウジアラビアはイランへの優先的な投資を実行することができるというのが、中国が2カ国に提案した包括的戦略的パートナーという関係でした。イランは、西側から経済制裁を受けているにもかかわらず、毎年GDPが4～5%ほどの成長率を遂げている国です。天然ガスも石油もある。おまけに人口も約９千万人もいる国です。とてもポテンシャルが高いため、投資価値もおそろしく高い国と言えます。
第三世界に投資をすると公言しているサウジアラビアにとって、実は魅力的な隣人でもあった。そして、中国にとっても安定的なエネルギー供給の確保、一帯一路構想が大きく前進するわけですから、大きなメリットを生み出します。

元アメリカ国務省職員のアーロン・デイビッド・ミラー氏は、中国の仲介によってイランとサウジアラビアが国交正常化を合意するという決定は、「バイデンへの中指」と解釈されてもおかしくないことだと指摘しています。**この3カ国は、明確にアメリカへ挑戦状を叩き付けた**ということです。
アラブ圏は、もともと親アメリカの国が多かった。しかし、今は手の平を返したように中国を選択している。再び戦争を起こすかもしれないバイデン氏のアメリカよりも、ビジネスを優先する中国のほうがいいというわけです。

中国は基本的に内政不干渉です。中国自身、共産党の一強体制かつウイグル人問題などの人権問題を抱えているため、中東の政治的問題に首を突っ込むことはありません（というか突っ込めない）。「ウチはウチ、ヨソはヨソ。でも、商売は一緒に儲けましょう」というスタンスです。

対して、アメリカは隣の家の家庭問題に口を挟んで、「弁護士を立てる」と言ってくるようなスタンスです。中国は、アメリカのように地域に軍事的駐留をすることも（今のところ）ありません。

アルジャジーラは、2023年6月6日のニュース記事で、**中東と中国との貿易額は、2000年から2021年の約20年間で、152億ドルから2843億ドル、およそ19倍に増加**したと報じました。**同期間の中東とアメリカの貿易額は634億ドルから984億ドル、およそ1・5倍**です。数字を見ても明らかなように、中国との関係は急激に高まっているのです。

もちろん、アメリカも指をくわえて見ているわけではありません。バイデン氏がサウジアラビアを訪問した際、首脳会談の中で「アメリカは中国、ロシア、イランによって埋められる空白を放置せず立ち去るつもりはない」と発言しています。しかし実際にはアメリカではなく中国、ロシア、イランが中東地域の空白をどんどん埋めているという状態です。このままでは、本当にアメリカは蚊帳の外になりかねません。

アメリカは中東における自身のプレゼンスを主張していますが、**２０２２年と２０２３年では、パワーバランスが完全に変わってしまったと言わざるを得ない**でしょう。ここに、中東と世界各国との「ビフォア」「アフター」を見ることができます。

バイデン政権は、中東諸国がロシアと共謀しないように一部の中東諸国に対して圧力を強めていたのですが、中国がかっさらう形でその座を奪ってしまった。中国はロシアとの関係性も深いですから、アメリカの心中が穏やかではないことは明白です。

アメリカのもう一つの同盟国であるＵＡＥも、中国との緊密な関係を築き、イラン、ロシア、インドとの関係強化にも取り組んでいます。アメリカからの要請を拒否し、そうした国々との関係を強化している。ＵＡＥでさえアメリカ離れが進んでいるわけです。

アメリカが湾岸アラブ諸国に大きな影響力を持っていたのは、石油の決済通貨としてドルが使われ続けてきたこともあります。しかし、湾岸アラブ諸国は脱石油を掲げ、

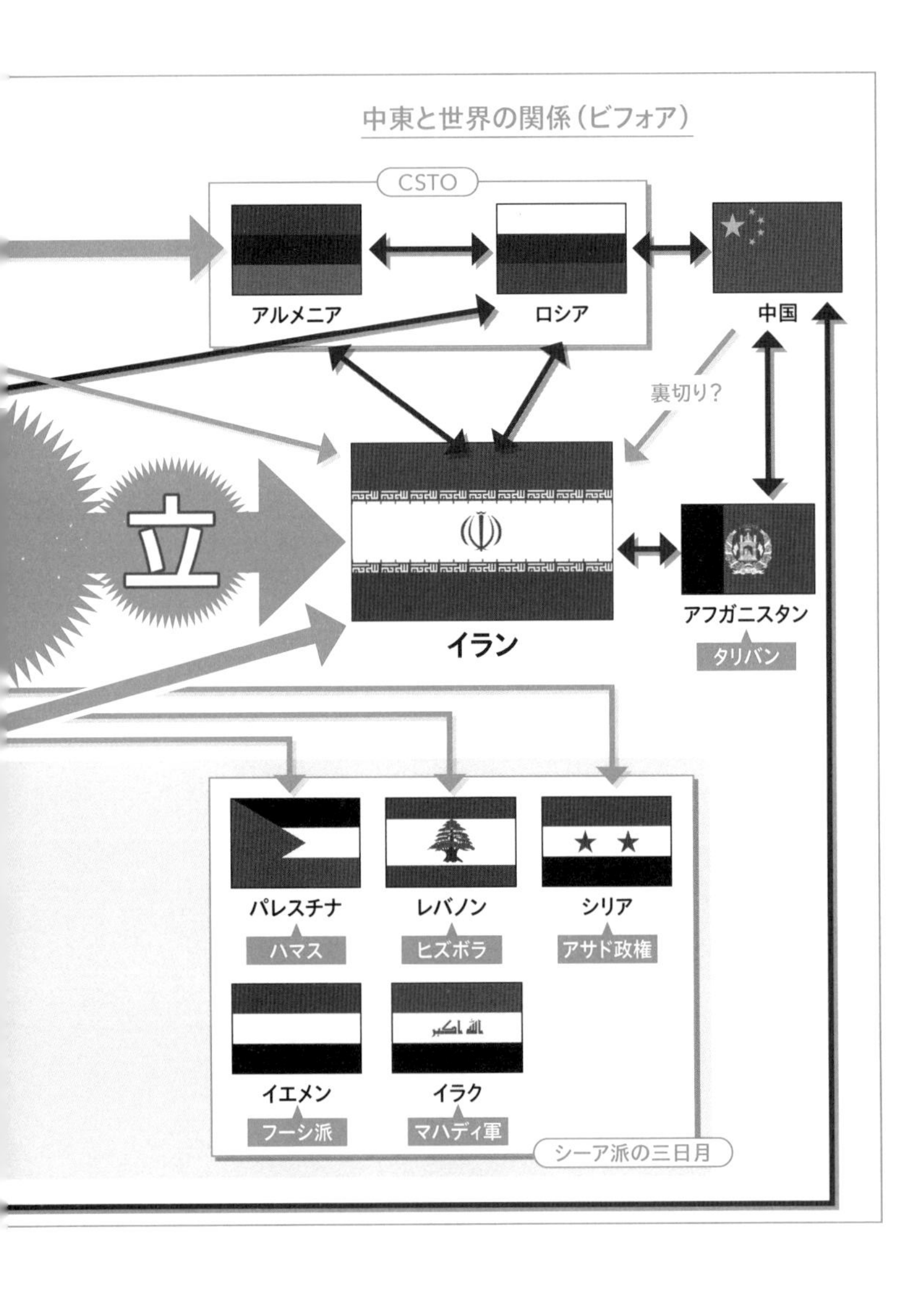
中東と世界の関係（ビフォア）
CSTO
アルメニア
ロシア
中国
裏切り？
立
イラン
アフガニスタン
タリバン
パレスチナ
ハマス
レバノン
ヒズボラ
シリア
アサド政権
イエメン
フーシ派
イラク
マハディ軍
シーア派の三日月

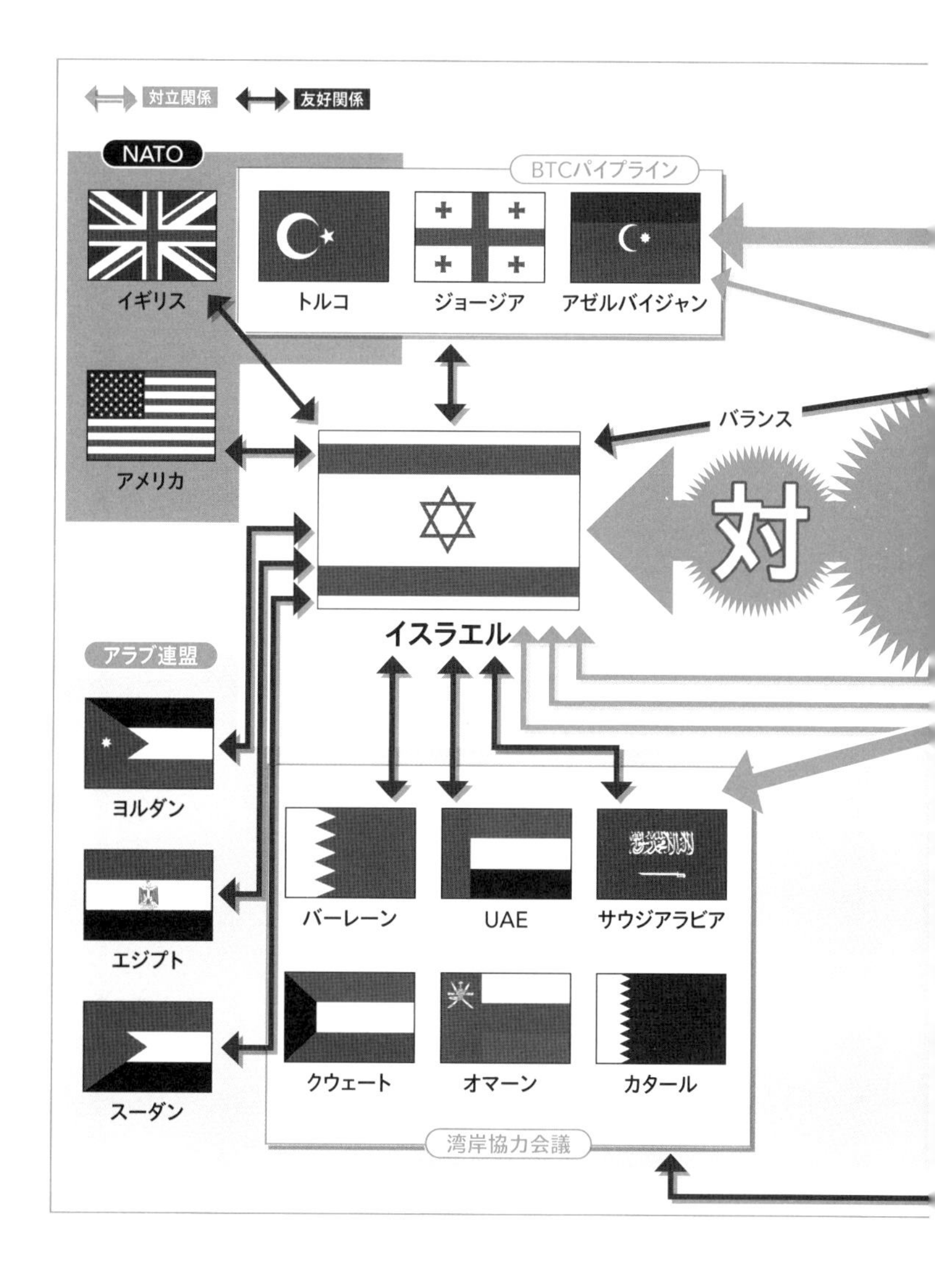
対立関係
友好関係
NATO
BTCパイプライン
イギリス
トルコ
ジョージア
アゼルバイジャン
アメリカ
バランス
対
イスラエル
アラブ連盟
ヨルダン
エジプト
スーダン
バーレーン
UAE
サウジアラビア
クウェート
オマーン
カタール
湾岸協力会議

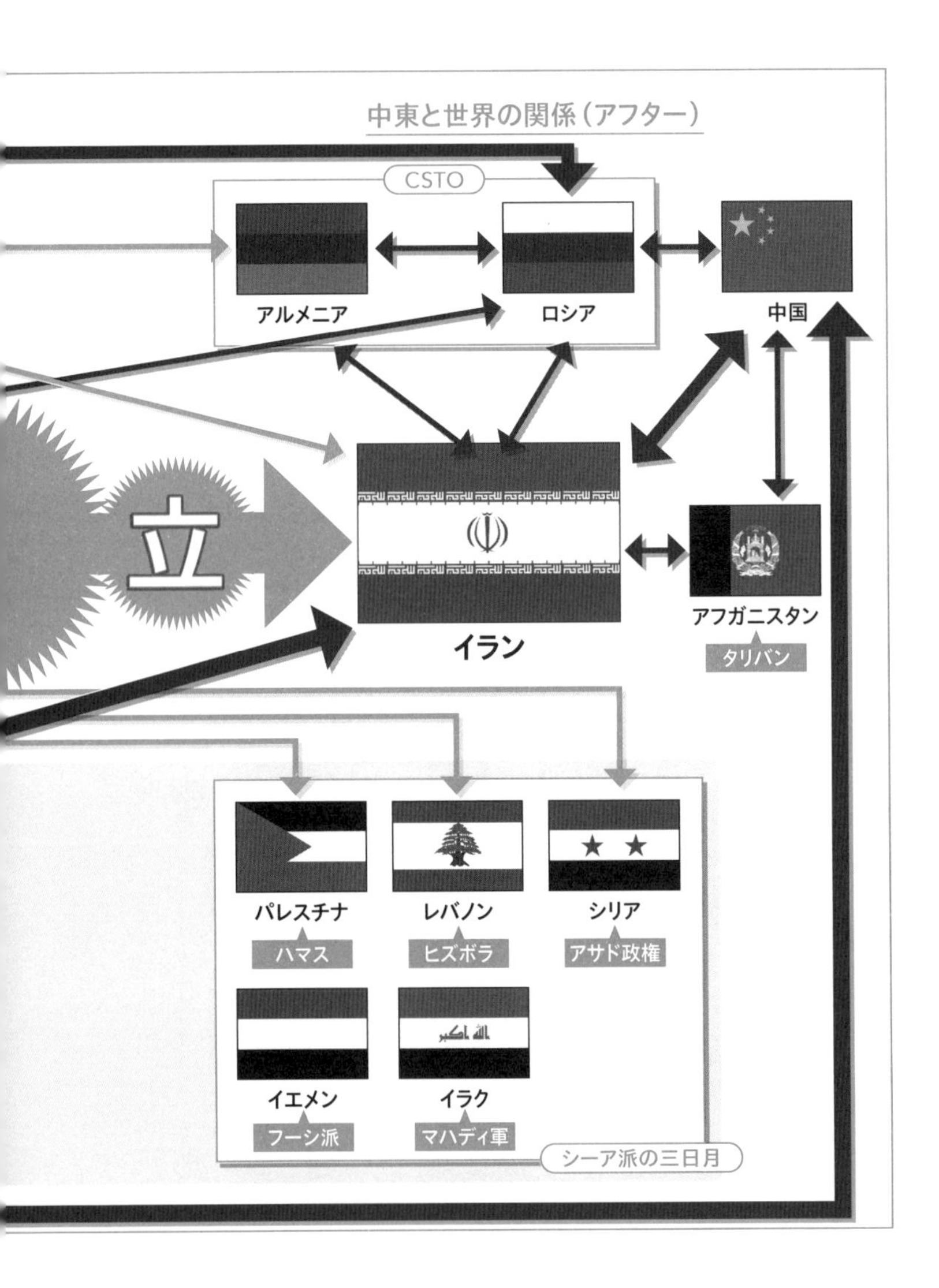
中東と世界の関係（アフター）
CSTO
アルメニア
ロシア
中国
立
イラン
アフガニスタン
タリバン
パレスチナ
ハマス
レバノン
ヒズボラ
シリア
アサド政権
イエメン
フーシ派
イラク
マハディ軍
シーア派の三日月

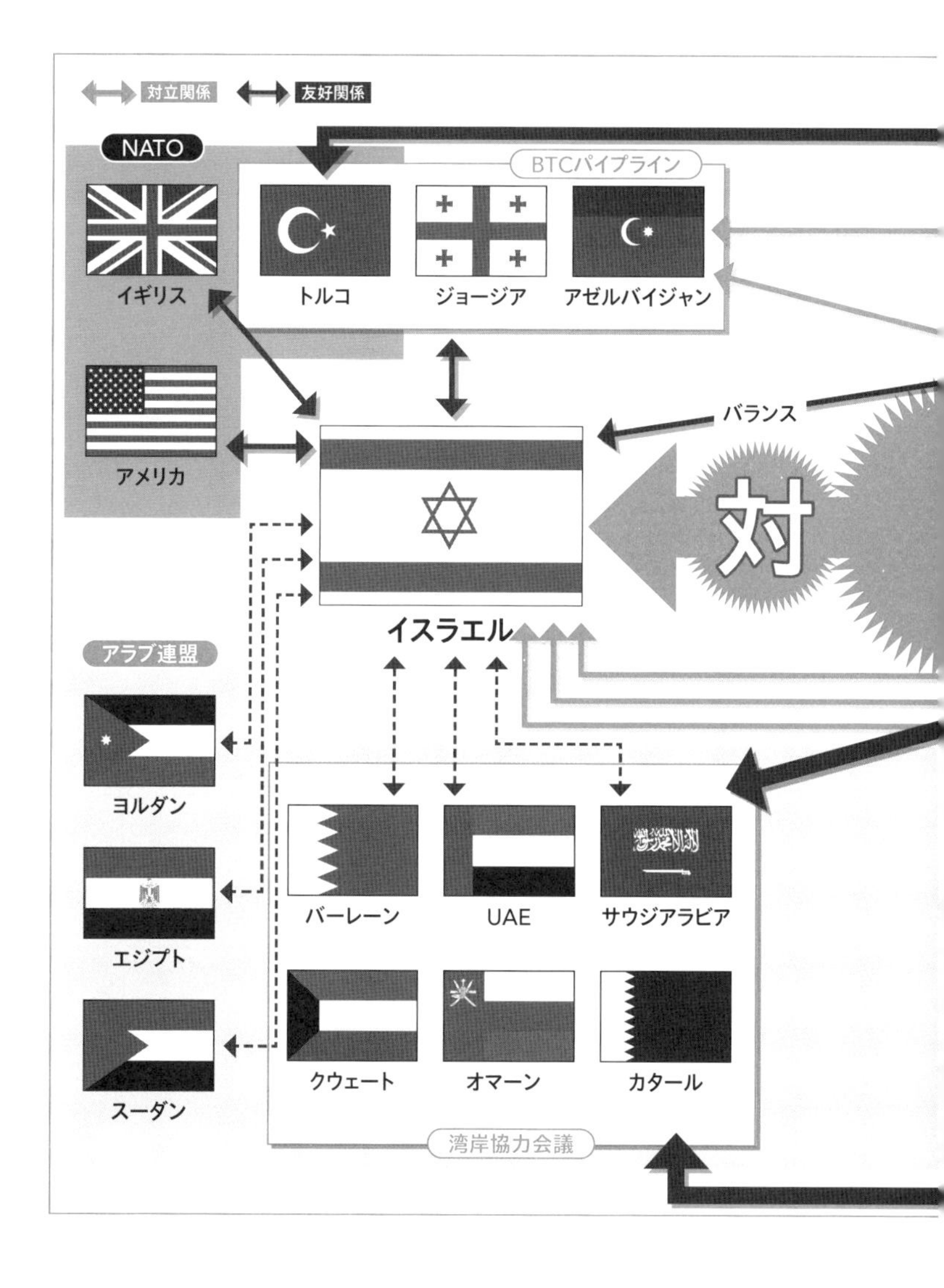
対立関係
友好関係
NATO
BTCパイプライン
イギリス
トルコ
ジョージア
アゼルバイジャン
アメリカ
バランス
対
イスラエル
アラブ連盟
ヨルダン
エジプト
スーダン
バーレーン
UAE
サウジアラビア
クウェート
オマーン
カタール
湾岸協力会議

石油に依存しない国家づくりを目指し始めました。そう考えると、アラブ諸国のアメリカ離れというのは、来るべくして来たと言えます。脱石油は、脱西側諸国でもあるわけです。

現在、**ドル排除の流れが、ものすごいスピードで進んでいます。**サウジアラビアは、ドルではなく別の通貨、人民元で原油を取引しようとまで言っている。これまでは石油の決済をするために、各国がドルに両替する必要があったため、ドルは世界中で大きな需要がありました。アメリカがどれだけドルを刷っても、誰かが大量に買ってくれた。だからドルの価値は担保されていたわけです。

中東がこのまま中国に傾倒していくようであれば、ドルの価値も揺らいでしまう。「ドルに依存するのはやめよう」と、新興国のドル依存もストップし、ドミノ倒しのようにドル排除の流れが広がる可能性もある。中東というエリアは、まさにドミノの先頭に位置しているわけです。

2023年3月29日、**サウジアラビアは中国が設立した上海協力機構（SCO）の**

パートナーになることも発表しています。上海協力機構というのは、中国、ロシア、インド、パキスタン、カザフスタン、キルギス、ウズベキスタン、タジキスタン、イランで構成され、中央アジアと南アジア、そしてユーラシア地域とロシアをカバーする経済協力機構です。

サウジアラビアの上海協力機構とのパートナー表明というのは、中国、ロシア双方にとっても非常に有利ですし、サウジアラビアにとってもユーラシア経済圏をより大きく、より相互に結び付けることが可能です。国益にも大きく寄与するとにらんでいるわけです。サウジアラビアは、未来都市ＮＥＯＭをはじめ先進的なプロジェクトを掲げていますから、ユーラシア経済圏を取り込みたいという野心もあるでしょう。

また、**サウジアラビアは、中央アジアへの多額の投資を行う計画を発表**しています。

これには理由があります。**２０２３年３月、スイス第二位の大手銀行クレディ・スイスが破綻危機に陥った**ことで、同社の株価は急落しました（その後、スイス最大の銀行ＵＢＳに救済買収される）。実は、**クレディ・スイスの筆頭株主は、サウジアラビア財務省の管轄であるサウジアラビア国立銀行**でした。そしてサウジアラビア国立銀行の大株主こそ、ムハンマド皇太子のPRFという政府系ファンドでした。要するに、サウジアラビアが莫大に投資していた銀行がクレディ・スイスだったわけです。

ところが、ムハンマド皇太子は信用していたスイスの金融に完璧に裏切られてしまった。その結果、サウジアラビアは西側からの資金を引き上げていくと表明し、次なる投資先として第三世界に投資をしていくと謳っているわけです。

折りしも3月は、サウジアラビアとイランが国交正常化を実現した月です。そして、**「イランに投資をしていく」と明言**した。これは、**サウジアラビアの西側諸国への信頼失墜、投資先としての失望の意思表明**でもある。西欧諸国との蜜月が終わり、新しいフェーズが幕を開けようとしているわけです。

そして、中国はイスラエルともパイプを有しています。イスラエルにとって中国は、輸出先の国として第二位のポジションにあり、輸入に関しても中国からの輸入が最も多いという間柄です。両国は、経済関係のパートナーとしてお互いを無視できない存在。**中国はイスラエルとも対話ができ、中東情勢における中国のプレゼンスは極めて大きくなっていく**ことが予想されるのです。

もう一つの大国、ロシアの存在

前項では、中東情勢における中国の存在についてお話ししました。その背後には、ロシアもいます。ユーラシア経済圏、さらに言えば、**第三世界経済圏への進出の機会を虎視眈々と狙っているのは、ロシアも同じ**です。

現在、ウクライナ侵攻によって、ロシアに対する経済制裁が行われていますが、実は制裁を科しているのは西側諸国のわずか数カ国であって、世界のほとんどの国はロシアへの経済制裁を行っていないという事実があります。南側に位置する新たな経済圏、つまり第三世界経済圏の国々は制裁を行っていないのです。

中国の仲介によって、サウジアラビアとイランの国交正常化が実現。**サウジアラビアは同盟国であったアメリカに対して明確な「NO」を叩き付け、中国とロシアに門戸を開くことを意思表明**しました。

しかも、サウジアラビア、UAE、エジプトなど中東6カ国は、「BRICS(ブラジル、ロシア、インド、中国、南アフリカの新興5カ国の枠組み）」への参加を要請しているという背景もあります。**西側諸国がロシアに対して経済制裁を拡大し続けているにもかかわらず、中東の国々はロシアとの協力体制を構築していくという意図がある。**サウジアラビアは、ウクライナ侵攻をきっかけとした対ロシア制裁に関するアメリカの要請を、ほぼすべて拒否しているほどです。

第3章で触れたように、イスラエル、サウジアラビア、イランの三角関係が中東に大きな緊張関係をもたらしています。すなわち、**この三国と、大国といわれる国々がどのような関係性にあるかを照らし合わせれば、おのずと中東のパワーバランスは浮かび上がってきます。**

トランプ政権の時代には、アブラハム合意締結によってイスラエルとサウジアラビアの距離感も縮まり、イランに対する包囲網ができ上がりつつありました。ところが、バイデン氏が大統領になって以降、180度変わってしまった。

むしろ今は、アメリカが孤立している状況です。イラン包囲網だったはずが一転して、アメリカ包囲網に変わってしまっている。2022年と2023年では、まったく様相が変わってしまい、僕らの想像のはるか上を行くほど、中東情勢はドラスティックに変容しています。

2023年5月に行われたトルコ大統領選の際、ロシアはイラン、トルコ、シリアとモスクワで4カ国会談を行っています。

シリア難民が流入したことで、この数年間でトルコ国内でのトルコ人とシリア人の摩擦は高まり、暴力や虐待、犯罪が急増しているという背景があります。この対立問題を解消すべく、**シリア難民を母国に送還させるということが、トルコの大きな政治問題**となっています。

しかし、そのためにトルコは、シリアのアサド政権と対話をしなくてはいけません。アサド政権サイドは、対話を行うためには「シリア国内からのトルコ軍の完全撤退が絶対条件」と強調していて、この点がトルコサイドからすればネックとなっていたわけです。

そこでシリアと太いパイプを持つロシアが、両国の対話の席を設けるために4カ国会談をセッティングしました。トルコとシリアの外相会談は、実に2011年のシリア内戦開始以来初となる公式会談でした。**ロシアとイランが仲介に入る形でトルコとシリアを和解させる。**そうしたシナリオを描いているのです。

中東情勢を考えたとき、この流れはとても大きなインパクトを持ちます。シリア内戦において、トルコはアサド政権を打倒するための反政府勢力「自由シリア軍」の活動を支援していたため、アサド政権と対立をしていました。また、トルコは自由シリア軍への支援を通じてクルド人勢力を攻撃していたのですが、トルコと同じNATO加盟国のアメリカは、クルド人を一時支援していたという複雑な関係がシリア内戦で展開されていました。

アサド政権を支援するロシアとイランは、トルコとの関係性を深めたかったものの、シリア内戦では対立している立場にあったため、協議が進むことはありませんでした。しかし、前述したようにエルドアン大統領の新しい外交は、サウジアラビアを含む中東の国々と積極的に連携を図り、地域の安定を強めていく方針に切り替えた。

その筋を読み取ったロシアとイランが、シリアとの席をつくった。この流れが好意的な方向へ進むなら、**平和の仲介をする中国やロシアに対する中東の評価は、より一**

段と高まることが予想されます。アメリカ排除の流れが加速しかねないというわけです。

しかも、9月には中国とシリアが戦略的パートナーシップに関する共同声明を発表しました。アサド大統領の中国訪問は2004年以来19年ぶりです。大きく勢力地図が塗り替えられようとしています。

ロシアにとっても、今回のサウジアラビアとイランの国交正常化は、とてもメリットのある話でした。現在、ロシアは国際南北輸送回廊（INSTC）というプロジェクトを進めています。中国の一帯一路のロシア版とも言えるもので、イラン経由でペルシア湾や西アジアを含めた地域との貿易を拡大する可能性を探っているといわれています。

端的に言えば、北から南を一直線につなぐ貿易ルートをつくろうとしている。サウジアラビアとイランの国交正常化は、南北経済統合の足掛かりであると同時に、アメリカの支配力を低下させる手段として極めて有効的です。

ロシアによるウクライナ侵攻によって、日本を含めたＧ７諸国、ＮＡＴＯ（北大西洋条約機構）の西側諸国はウクライナ支援を熱烈に行い、ロシアに対して制裁を科しています。中東の国々は、この戦争に対して中立のスタンスを取っている点もポイントです。

トルコについて説明した際にも触れましたが、中東はパンが主食です。その小麦の大半をロシアに依存しているという背景がある。また、石油やガスといったエネルギー面においても、ロシアと中東は切っても切り離せない関係性です。**国益として、ロシアと中東は支え合う関係にあるため、中立の立場を崩さない**わけです。

実際、２０２３年６月にＵＡＥのシェイク・ムハンマド氏は、プーチン大統領とサンクトペテルブルクで首脳会談を行っています。ウクライナ侵攻の只中に、ロシアを訪問するというのは異例と言ってもいいでしょう。

経済協力も進めていくことを再度確認したといわれ、中でもＢＲＩＣＳによる新通貨についても協議したという情報は見逃せません。ＢＲＩＣＳ新通貨については、「そんな通貨ができるはずがない」と否定的な人も少なくありません。しかし第三世界のリレーションシップ、急速なアメリカ排除の流れを鑑みるに、石油の決済通貨がドルではなくなる可能性はゼロではない。**第三世界の国々がロシアや中国とどのような関係にあって、何をしているのかについては、注視しておくべき**です。

ちなみに、今回のウクライナ侵攻で、ロシアの民間軍事会社ワグネルが脚光を浴びました（創設者であるエフゲニー・プリゴジン氏が乗ったジェット機が墜落した件には驚きましたが）。国際情報会社によると、ロシアには37社の民間軍事会社があるとされています。リビア内戦にもシリア内戦にも「ワグネル」をはじめとした民間軍事会社が介入していましたが、ロシアはロシア軍ではなく民間軍事会社を活用することで、「戦争には加担していない」という論点ずらしのような手法を取る国でもあります。

ロシア政府が全面的に進出するのではなく、ワンクッションを置くことで間接的に介入していく。そうして段々とオセロの駒をひっくり返していくのがロシアという国です。

2023年5月に行われたG7広島サミットに、ウクライナのゼレンスキー大統領が参加したことは記憶に新しいところです。G7はウクライナの支援、ロシアに対する制裁、つまり戦争継続の意を示したわけですが、実は同時期にサウジアラビアで、アラブ連盟首脳会議が行われていたということは、ほとんど知られていないことかもしれません。

アラブ主要国21カ国が集まって、G7と同じようにウクライナ侵攻に対して議論を交わしたのですが、彼らはいかにこの戦争を仲介するか、終結させるかについて話し合っていた。つまり、戦争継続か戦争停止かという論点において、西側諸国とアラブ連盟では意見の隔たりがある。

僕たちは、流れてくるニュースに流されてしまうことがあります。**西側諸国の論調だけを捉えるのは、「木を見て森を見ず」と言っていい**のではないでしょうか。

再び戦火に包まれるスーダン。日本が考えるべき協力関係

中東について考えるとき、スーダン共和国（以下、スーダン）という国にも注視しておくといいでしょう。スーダンはアフリカ大陸に位置する国ですが、主な宗教はイスラム教です。意外と思われるかもしれませんが、アラブ諸国の一員でもあります。

スーダンと聞くと、内戦をイメージされる方もいると思いますが、まさしくその通りで争いが絶えない国でもあります。

アフリカ大陸の地理をざっくり言うと、北と南の国々がサハラ砂漠で分断されています。同じアフリカでも、それぞれまったく異なる文化圏です。

歴史的に紐解いたとき、サハラ砂漠の北に位置するエリアは、イスラム帝国やオスマン帝国といったイスラム教を国教とする国に支配されていた地域です。そのため、サハラ砂漠の北の国々はアラブ諸国の一員として、今に続いているわけです。

対して、南側はヨーロッパが大航海時代に大西洋からぐるっと迂回し、南アフリカの喜望峰から入植してきたエリアです。ヨーロッパから地中海を越えて北アフリカに侵略したり、イスラム帝国が北アフリカからヨーロッパに侵略したりすることはあったけれど、サハラ砂漠を超えることは、どんなに強固な帝国も実現できませんでした。

そこから、大航海時代にアフリカ大陸の最南端からヨーロッパ人が入植してきました。彼らが信奉する宗教は、キリスト教です。サハラ砂漠の南は、喜望峰から北上してきたヨーロッパ人によって、キリスト教徒が大多数を占める国々なのです。

ブラックアフリカのキリスト教徒対アラブ人のイスラム教徒。その支配権力闘争の最たる例こそ、アフリカ大陸の真ん中に位置するスーダンです。

もともとスーダンは、アラブ人を優遇する社会でした。石油や金鉱山といった資源も、基本的にアラブ系が支配しているという状況が続いていました。それに対して納得がいかないキリスト教徒である南部の人々が蜂起をして戦争に発展したのが、スーダン内戦です。２０１１年、スーダンから独立して誕生した「世界で一番新しい国」といわれる南スーダン共和国は、キリスト教徒の国です。

スーダン内戦は、1983年から2005年まで続く、アフリカ大陸で最も長い内戦でした。2005年に和平合意が締結すると、この地域にしばらく安定がもたらされます。このとき、**荒廃したスーダン（南スーダンではなくスーダン）の土地を安価で購入したのが、サウジアラビアやUAEといった湾岸諸国**でした。彼らは政府系ファンドを駆使して、荒廃したスーダンの土地を買い占め、自国の食料自給率を高めるためにスーダンの農地に夢を見たのです。UAEにいたっては、自国の面積の3分の1、東京都とほぼ同じ広さに相当する広大な農地を買い上げたといわれるほどです。

では、湾岸諸国が躍起になってその土地を買い占めるスーダンは、どれほどのポテンシャルを秘めているのか。実は**農業分野において、世界屈指の環境を有している**といわれています。

スーダンは、世界最長級の河川であるナイル川が縦断している国です。ナイル川とは、下流の肥沃な流域で初期のエジプト文明を生み出し、カイロ近郊に今でも大ピラミッドやスフィンクスが残る歴史的な場所をつくり上げました。アレクサンドリアに流れ着き、地中海の街に注いでいく。豊かな水があるからこそ、文明や街が栄えたわけです。

スーダンはナイル川の合流地点という特殊な環境下にあります。**スーダンの首都・ハルツームは、青ナイルと白ナイルという2つのナイル川が合流する、世界的に見ても稀有な土壌を有しています。**

青ナイルと白ナイルは、その名の通り水の色がきれいに青と白に分かれています。前者はエチオピアから流れ、後者は遠くタンザニアやウガンダを源流としています。異なる場所から流れ着くため、水質も栄養価も違えば、色も違う。二つのナイル川が合流することで、より栄養価の高い水と土を生み出す、それこそが「ナイルの賜物」の正体です。

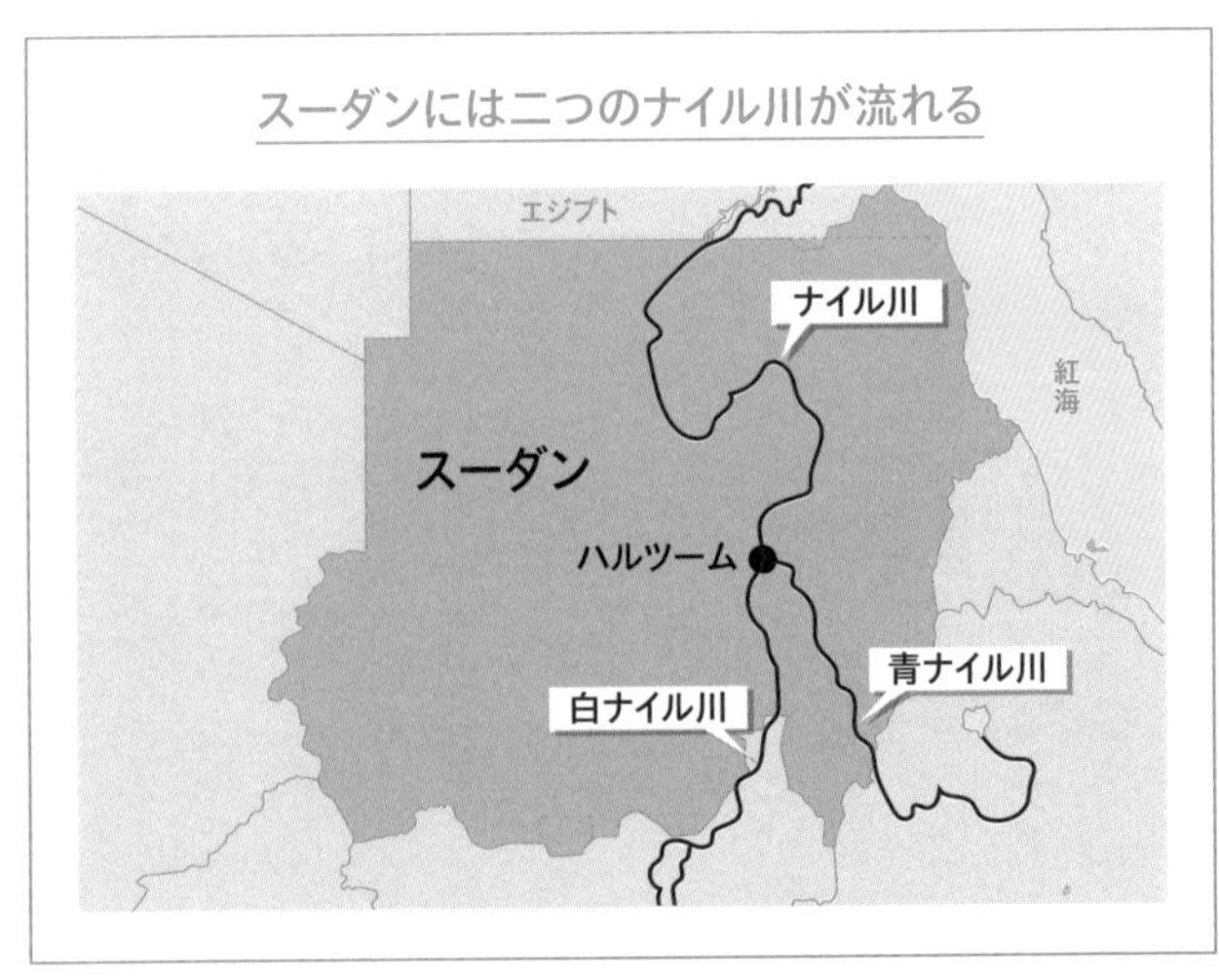

古代エジプトは、ナイル川という作物を育てる土壌、モノを運ぶ水路があったからこそ、灌漑（かんがい）農業や文明が発展し、大きく栄えました。エジプトは、決して降雨量の多い国ではありません。それにもかかわらず、世界有数の農業国であり続けるのは、ナイル川があるからです。作物を作っている地域は、ほとんどナイル川の沿岸。それほどまでにナイル川の水質は、沿岸地域の広範囲にわたって豊かな土壌をつくり出してしまうのです。

スーダンもあまり雨は降りません。しかし、エジプトと同等、いやそれ以上の可能性を持つナイル川の合流地点かつ二つのナイル川を有するという、**大きなポテンシャルを秘めている。そこに目を付けたのが、アブダビ投資庁**でした。

スーダン内戦が収束して間もない頃、まだ地価が安かったタイミングを狙って、彼らは全力で投資を始めました。その動きを察知して後に続いたのがサウジアラビア、カタール、クウェートの政府系ファンドでした。現在、中東湾岸諸国であるサウジアラビア、ＵＡＥ、クウェート、カタール、バーレーンといった国々は、アフリカに対して積極的な経済的支援を行っています。これはスーダンのような未知の力を持った国が多いことに加え、**第三世界だけで経済を回していくという意思表示**でもあります。
サウジアラビアやＵＡＥには、淡水化プラント技術があるため、自国で農作物を作ることが可能になっています。しかし、その量は輸出できるほど十分ではありません。しかし、スーダンの農地を利用すれば、肥沃な土壌で多様かつ膨大な農作物を作ることができるようになります。彼らは、同じアラブの一員であるスーダンに先行投資をすることで、より大きなアラブ圏経済をつくり上げようと目論んでいるわけです。

南スーダンが独立したことで、今後はアラブ人とブラックアフリカの対立がある程度解消され、スーダンは大きく産業振興されていく。その機は熟したはずだったのですが、**豊かな資源を持っているからこそ衝突が起こりやすい**。大陸のつなぎ目である中東がそうであったように、スーダンもまた戦火に巻き込まれやすいという特徴を持っているというのは、なんとも皮肉的です。

現在、スーダンは、再び内戦の渦中にあります。スーダン国軍への統合などを巡って、国軍と準軍事組織であるＲＳＦが対立し、２０２３年４月に、首都ハルツームを中心に衝突が起きました。西部のダルフール地方や南部にも戦火が拡大しています。

もともと、スーダンという国は南北の衝突だけではなく、西部のダルフール地方とも交戦をしていた背景があり、くすぶっていた火種が再び大きくなってしまった。湾岸諸国の落胆は大きいと思います。

しかし、スーダンが持つ農業大国としてのポテンシャルは変わりません。この内戦が再び鎮火した際には、日本も積極的にスーダンと協力の可能性を模索するべきです。

以前、スーダンのアブドゥルラハマン・スワルアルダッハブ元大統領は、**「日本の農業技術を導入したい」**と発言しました。日本は美味しい野菜を作る国として信用されているわけです。サウジアラビアやUAEが土地を買って農業開発をしているけれど、内心は湾岸諸国ではなく、農業に関して一日の長がある日本がパートナーになることを望んでいます。以前、僕がスーダンツアーを3回ほど主催した際、スーダンの高官たちはこぞって、「農業関係者を連れてきてほしい」と言っていたほどです。

スーダンのハルツーム大学は、日本で言うところの東京大学のような最も優秀な大学として知られています。驚くことに、この大学には日本語学科があります。スーダンには日本語を学んでいる学生が多いのですが、卒業後にそのスキルを生かせる職場がないという構造を抱えています。日本では外国人技能実習制度の問題が叫ばれていますが、双方がウィンウィンの関係になることができるアイデアがたくさんあると思います。

スーダンは、内戦が激化した結果、テロ支援国家に指定されアメリカの経済制裁を受けていたという過去があります（先述したＲＳＦがロシアのワグネルの支援を受けていたなど、内戦が複雑化していた）。トランプ氏が大統領になった際に、経済制裁を解除しました。アメリカは、すでに耕運機の会社や肥料の会社など農業関係の企業を、どんどん進出させています。

制裁解除により、日本の企業も進出できるようになりましたが、実際にそうした動きはありません。**日本政府や企業がスーダンとリレーションシップを築き、活躍できるような場所をつくる。**今は再び戦火が広がってしまったため難しいでしょう。しかし、種を蒔くことくらいはできるはずです。種を蒔かなければ、実も花も収穫することはできません。

第5章

日本に石油が入ってこなくなる日

ハマスのテロ。意外だった日本の表明

２０２３年10月７日の朝、パレスチナのガザ地区を支配するイスラム系過激派組織ハマスが、突如イスラエルに侵入し、奇襲とも言えるテロ行為を行いました。イスラエルとの境界にある分離フェンスを越えて侵入してくるという異例の行為で、音楽フェス「スーパーノヴァ」に参加していた大勢の民間人が犠牲になりました。決して許される行為ではありません。

翌日、イスラエル政府は「戦争状態」を公式に宣言し、ハマス壊滅を成し遂げるべく、ガザ地区に空爆を行いました。イスラエル政府が武力攻撃に移すことも近年ではなかったことです。

日本でも、どうしてこのような状況になったのか、さまざまな報道がなされています。しかし、中東は極めて複雑です。無数の糸が絡み合い、どこから紐解けばいいのか、分からなくなりがちです。

この本は、そうした幾重にも絡まった中東のイメージを、できるだけ分かりやすく紐解けるように書いています。ここまで読んでくださったのであれば、ハマスとイスラエルの戦争を正しく読み取ることができると思います。

先にも述べたように、**イスラエルはアブラハム合意があったにもかかわらず、ヨルダン川西岸地区への入植活動を繰り返していました。**イスラエルは、シーア派の三日月地帯といわれるように、多くの武装組織に囲まれている。今回、**ついにその一つであるハマスが暴発**してしまいました。

11日には、レバノンのヒズボラがイスラエルに向けてロケット弾を発射し、報復措置としてイスラエル軍はレバノン南部の町に砲撃しています。戦争が長期化したとき、反イスラエルの過激派組織が連鎖反応を起こす可能性も否めません。

ネタニヤフ政権のパレスチナ強硬政策は、エスカレートしている最中でした。アラブニュース、アルジャジーラ、ガルフニュース、カリージタイムス、アルモニター、ミドルイーストモニターといったアラブ側のメディアは、再三にわたってパレスチナへの入植活動の過激化を非難していました。

イスラエルには、シオニストと呼ばれるユダヤ民族主義者が存在し、そのイデオロギーはパレスチナの回復（奪還）、祖国建設を目指したシオニズム運動に起因しています。**ネタニヤフ首相は、こうした支持層に支えられてパレスチナ入植を繰り返していました。**

しかし、忘れてはいけないのは、イスラエル国内にもパレスチナ問題に関して反対している人々がたくさんいるということです。入植はやめるべきである。もっと言えば、対イランに対しても融和政策に転じるべきという論調を持つ人々も少なくない。しかし、事態は悪化を辿っています。

昨年、僕はイスラエル人家族を自宅に招き、手巻寿司パーティーを開催しました。その家族のお父さんはイスラエルの航空宇宙局でエンジニアをされている方で、長期旅行として日本を訪れていました。

彼にどうしても聞いてみたいことがありました。その1カ月ほど前、イスラエルの『タイムズ・オブ・イスラエル』が、「今イスラエルから国外脱出をしたいという国民は30%もいる」と報じていました。国民の10人に3人がイスラエルから逃げたいと考えている。僕はそのニュースを目にして唖然としました。

「このアンケート調査は本当なのでしょうか？」

「30%どころではない。50%はイスラエルからの脱出を考えているだろう」

どうしてイスラエルの国民は、それほどまでに悲観しているのか。その理由を聞くと、**パレスチナ入植がとてもエスカレートしていて、自分たちにも火の粉が降り掛かってくるのではないか**と心配だということでした。

入植を繰り返せば、イスラエル人とパレスチナ人の対立は激しくなっていきます。政治や軍部とは関係のない民間のイスラエル人まで憎悪の対象になってしまう。それを危惧しているイスラエル人はとても多いそうです。そして、対イラン政策に関しても危機感を覚えている、**このままでは近い将来、イランから攻撃されてしまうのではないかという不安もある**と吐露していました。

もう一つ、現在、イスラエルでは司法制度改革が進行しています。ネタニヤフ政権は、裁判所の機能を政府の直轄に置くといった司法制度改革を進めています。

日本では三権分立といわれているように、司法、立法、行政はそれぞれが干渉し合わないように分立しています。ところが、ネタニヤフ政権は、行政の下に司法を置くという改革を進めているのです。つまり、戦時体制をすぐさま取ることができる、さらにはネタニヤフ首相の汚職疑惑なども不問に付すことができる。端的に言えば、**独裁色を強くする国内改革を進めている**わけです。

こうした改革に「NO」を突き付けるイスラエル国民は非常に多く、実際問題としてイスラエルのガラント国防大臣が、そうした改革は民主主義の崩壊を招きかねないため、やめるべきだと国会で代替案を提案しました。

しかし、ガラント国防大臣の提言はネタニヤフ首相に対する反旗であると受け取られ、彼は国防大臣を解任されてしまいました。このことに激怒したのが、ほかならぬイスラエル国民でした。**いたるところでデモが発生し、この事態を憂いていた。そして、今回のハマスによるテロが起きてしまいました。**

マクロな視点で見ると、イスラエルとパレスチナは対立しています。しかし、ミクロな視点、**民間人の視線で見ると、お互いに対立を望んでいるとは限らない。**もっと平和的な解決方法があるのではないか。僕個人も、それを願ってやみません。

繰り返しますが、ハマスの行為は決して許されるものではありません。一方で、10月7日は、1週間続いたユダヤ教の祭り「スコット」（仮庵の祭）に続く安息日（7日）でした。意図して7日に標準を合わせたことは明白です。つまり、強い動機があることは間違いないでしょう。

これを受けて日本政府は、「領内への越境攻撃」を非難する半面、イスラエルの攻撃による死傷者についても同様に「深刻に憂慮」を示しました。事態の責任は、双方にあるとも捉えることができる声明を出しています。

実際、G7加盟国5カ国（アメリカ、イギリス、ドイツ、フランス、イタリア）がイスラエルを支援する共同声明を発表する中で、日本はカナダとともに声明に署名しませんでした。これまでアメリカの顔色ばかりうかがっていた岸田政権に鑑みれば、僕はこの対応に驚きました。

この戦争が長引けば、原油価格は上昇するでしょう。ロシアによるウクライナ侵攻と、急速に進行した円安によって、日本の物価は急激に高くなりました。川上から川下である僕たちの生活に影響が表れるのは半年後だといわれています。そのため、もしもこの戦争によって原油価格が高騰するようなことがあれば、2024年の春先にはさらに日本のインフレは加速してしまう。そうした懸念もあって、日本は声明に署名をしなかったとも考えられます。

中東の産油国と上手に付き合わなければ、日本は兵糧攻めよろしく、真綿で首を絞められてしまいます。アメリカやイスラエルからの圧力を恐れず、**日本は確固たる姿勢を崩さずに、自身の方針に誇りを持って行動してほしい**と思います。

中東における日本の評価は急落の一途

G7広島サミット2023の2週間後に、僕は広島でセミナーを開きました。50人くらいのお客さんが来てくださり、**「G7は成功だったと思いますか?」**と質問をしてみました。圧倒的に多かったのは**「失敗だった」**という声です。

ゼレンスキー大統領を招待したというインパクトこそありましたが、みなさんの意見は、広島という核を落とされた街で開催されたのだからこそ、**「平和を祈念する」という意思表明をしてほしかった**というものでした。しかし、日本はG7の後を追従するように、戦争継続の道に賛同しているのが現状です。

中東には親日の国が多く、その理由として田中角栄氏の功績があります。

イスラエルとアラブ諸国が衝突した中東戦争が起きたとき、日本にはアメリカから「イスラエルを支援しろ」と要請がありました。しかし、時の首相であった田中角栄氏は断った。すでに日本はアラビア諸国から石油を輸入している関係にあったため、**「イスラエルの応援をしたら石油が入ってこなく可能性がある。そうなった場合、アメリカは責任を取れるのか」**と突っぱねた。日本は中東戦争に加担せず、あくまで中立の立場を貫きその対応に中東諸国は信頼を置いたのです。

こうしたことから、**日本という国は、中東では一目置かれる存在でした。**イランからもサウジアラビアからも信頼を持つ日本は、中国に代わって両国の国交を正常化するだけの力だって持っていた。しかし、**アメリカに追従している合間に、中国にすべてを持っていかれてしまいました。**

いや、もしかしたらそんな外交を発揮するだけのアイデアも胆力もなかったのかもしれません。僕は残念でなりません。もし日本が同じことをしていたら、中東において日本はヒーローになっていたかもしれないわけですから。

この2年間で、中東での日本の評価は著しく低下しています。

あるサウジアラビアの経済誌が、同国におけるアジア各国との経済関係の優先順位を発表しています。1位中国、2位韓国、3位インド、そして4位が日本です。**かつ**

て1位だった日本は、たった2年間で4位まで転落してしまっています。

この結果は、信頼関係と置き換えるとより分かりやすいでしょう。中国、韓国、インドよりも信頼できないと見なされている。アメリカとべったりの日本は、今やアメリカに反旗を翻したサウジアラビアにとって、信頼の置けない友人に映ってしまうわけです。

先述した通り、バイデン氏はOPECプラスに石油の増産を持ち掛けました。日本も原油価格高騰を受け、主要産油国に増産を働き掛けたのですが、サウジアラビアのアブドルアジズ・エネルギー相は「聞いていない」と一蹴したというニュースがありました。

萩生田経済産業相（当時）は「先週末にレター（書簡）を送った」と反論しましたが、返す刀でアブドルアジズ氏は、「日本の新しい大臣が就任したときにお祝いの電話を掛けたが（つながらず）、折り返しの電話もない」と暴露した。このとき、現地では「日本は返信ができない法律でもあるのか？」と揶揄されていたといいます。

このように、**日本はサウジアラビアから足蹴にされているわけです。一方で、中国は「ようこそ」と熱烈に歓迎されている。**日本は、外交面において中国のはるか後方にいると自覚したほうがいいでしょう。

そして、かつては圧倒的に人気の高かった日本のメーカー商品は、今や韓国にお株を奪われているのが現状です。トヨタ人気こそ健在ですが、日本の製品は軒並み力をなくしています。日本製の製品はクオリティこそ高いのですが、価格が高い。そのため、現在サウジアラビアやUAEでは、同じくらいのクオリティを誇り、それでいて値段も手ごろな韓国製品に市場を占拠されてしまっています。

韓国は官民の連携がとても上手で、K－POPを筆頭にモノやトレンドを世界に展開する重要性を理解しています。世界的に大ヒットしたNetflixの『イカゲーム』は、中東でも大人気になっているそうです。2021～2022年に開催されたドバイ万博の韓国パビリオンでは『イカゲーム』のコンテンツを急遽追加するなど、率先して自国の強みを発信する姿勢がある。柔軟力、決断力、指導力において、日本は韓国の何歩も後れを取っていると認めざるを得ません。

中東における存在感が、中国、韓国、インド以下である日本には、中東諸国から石

油が入ってこなくなる。そんな日が来てもおかしくありません。だからこそ、日本が取るべきは全方位外交です。

アメリカにべったりでは、新しい経済圏から総スカンを食らってしまう可能性がある。アメリカとほどよく付き合い、アメリカと仲がよくない国ともきちんと関係値を高めること。説明してきたように、中東の「これから」は、世界情勢を鑑みたときものすごく大きな意思決定に関わってきます。

中東のキープレーヤーが次々と脱アメリカを掲げていることは、歴史的に見ても大きな変革期を表していると言っていい。その中で、日本はどうすればいいのか。翻って、僕はここにこそ日本の成長の可能性があると思っています。

中東は、ヨーロッパとアジアとアフリカの大陸のつなぎ目にある重要なエリアです。アメリカのプレゼンスが急速に弱まり、中国やロシアが台頭する。これまでの中東の100年に鑑みれば、考えられなかったことが起こり始めています。**日本は、外交的にも経済的にも、これからを視野に入れた新しい関係性を構築することが急務**なのです。

中東の混乱はエネルギー問題を再考する好機

2023年現在、日本は石油の輸入を97%近く湾岸諸国に依存しています。ウクライナ侵攻によって、日本はロシアから石油を一切輸入しなくなりました。その結果、石油のほとんどを中東に頼っている状況にあります。**もしも日本と中東の関係がギクシャクしてしまったら、冗談抜きで日本の生活は激変する可能性があります。**

実際、総務省が公表する「消費者物価指数」を見ると一目瞭然です。2022年12月の同指数上昇率は、前年同月比で4・0%。たった1年でこれほどまで上昇するのは、消費税率引き上げの影響を除くと実に30年ぶりでした。とりわけ、「前年同月との比較（10大費目）」の中にある「食料」「家具・家事用品」の上昇率は顕著で、「光熱・水道」にいたっては、前年比から約23%も上昇しています。

どうして、たった数年でここまでインフレが進んでしまったのでしょうか。背景にあるのは、ロシアによるウクライナ侵攻と、急速に進行した円安です。遠い国で戦争をしているから僕たちには関係ないとはいかず、川上で生じた世界的な影響は、川下である日本の家計にまで到達するということです。

石油価格が上がると、プラスチックなどの梱包資材類の価格も上がってしまいます。最近は、卵の価格上昇は、梱包するためのプラスチックを製造するコストが上がっていることも要因の一つです。また、ガソリン価格が高ければ宅配便などにも影響を及ぼします。

このように、石油価格が上がるということは、生活に欠かせないたくさんのものに影響が出てしまうということです。ロシアと欧米諸国の関係悪化や、中東との関係性にひびが入るようであれば、ますますこうしたリスクは高まっていくわけです。

日本の中東との関わり合いを考えたとき、日本のエネルギー問題は無視することができず、僕たち国民一人ひとりがきちんとこうした問題に関心を持たなければいけません。今や中東の動向は、決して対岸の火事ではありません。そして、状況が変わりつつあるからこそ、輸入に頼らず自国でエネルギーを生み出すことができる「再エネ化」といった視点も必要になってきます。

例えば、ウクライナ侵攻によるロシアからの天然ガス停止という事情もありますが、ドイツは２０３５年以降、国内の電力供給をほぼ完全に再生可能エネルギーによってまかなう方針を発表しています。一方、日本は石油や原発の燃料となるウランを海外からすべて輸入しています。このままではいつまで経っても他国にエネルギーを左右される状況は変わりません。

インフレという状況を敢えて前向きに考えるなら、中東情勢がドラスティックに変わりつつある今こそ、日本のエネルギー問題を再考する好機とも言えるのではないでしょうか。足元の物価を気にする人は多いと思いますが、もっと遠くまで視野を広げないといけません。

例えば、日本の周辺海域に大量に存在しているといわれる、メタンハイドレートという物質があります。天然ガスの主成分であるメタンガスが水分子と結び付いた氷状の物質で、「燃える氷」とも呼ばれています。**メタンハイドレートを燃やした場合に排出されるCO2は、石炭や石油を燃やすよりも約30％少なく、次世代エネルギー資**

源として期待されています。

ビジネスとして展開していくには、天然ガスを採掘する以上に高くなるコストをいかに抑えるか、メタンハイドレートの開発が環境にどのような影響をもたらすかといった課題もあります。しかし真剣に議論を進めていく価値は十分あるはずです。

また、**世界3位の資源量を持つ日本の地熱発電も大きな可能性を秘めています。**地熱発電は、地熱が溜まっている層（地熱貯留層）に井戸を掘り、噴き出した蒸気の力でタービンを回すことで電力を生み出す仕組みです。

実は、日本は早くから地熱発電機器の製造技術を確立し、世界における地熱用タービンの約7割は日本製です。それなのに、日本では地熱発電の開発が遅れています。最も大きな理由は、地熱貯留層の多くが国立公園（国定公園）内にあることから、環境保護の観点から地熱発電所を建設しないことが決められていたからです。しかし、東日本大震災による福島第一原子力発電所事故によって、エネルギーの在り方が見直され、現在は地元の同意を得ることができれば、国立公園内の約7割に当たる場所で地熱発電所の新設が可能になりました。世界3位のポテンシャルを秘めているわけですから、積極的に推進しない手はありません。

国立公園内に地熱発電所が建設されることで、景観的観点から「ふさわしくない」という声もありますが、僕はアイデア次第だと思っています。日本同様に、火山大国であるアイスランドは、電力を１００％自然エネルギーでまかない、そのうちの20％以上が地熱発電によって生み出されています。ヘトリスヘイジ地熱発電所やスヴァルスエインギ地熱発電所は、まるで美術館のような外観をしていて、レストランや温泉（ブルーラグーン）が併設されています。景観に溶け込むように設計され、観光地として確立されています。

前述したドイツは、「国内の電力供給をほぼ完全に再生可能エネルギーによってまかなう」と謳っているものの、現在は石炭を利用してなんとかエネルギーをつくり出している状況です。対して、日本の場合、観光資源も兼ね備えている好立地に地熱発電所を建設することができるとも言えます。

資源こそないけれど、豊かな自然に恵まれている。**他国から見れば、うらやましくて仕方がないポテンシャルを持っている。だけど、生かし切れていない。**本当にもったいないことをしている国ではないでしょうか。

日本とサウジアラビアをつなぐ「ブルーアンモニア」

自分たちでエネルギーをつくり出すことは、他国に依存しないということです。イニシアチブを取られづらくなり、対等な関係性を築きやすくなります。その上で、失墜しつつある日本の信用を回復させることも重要になります。

ブルーアンモニアという燃料をご存じでしょうか。化石資源（石油や天然ガス）から製造される際、排出されるＣＯ２を分離回収するアンモニアです。端的に言えば**ＣＯ２を排出しない燃料**であり、大きな注目を集めています。

この実証実験を、世界で初めて行ったのが日本でした。故・安倍晋三元首相時代に取り組みが始まり、サウジアラビア国営石油会社サウジアラムコとタッグを組み、実用化に向けて推進されていました。

サウジアラビアは世界屈指の産油国です。しかし、西側諸国を中心にカーボンニュートラル（ＣＯ２をはじめとする温室効果ガスなどの排出量から、植林、森林管理などによる吸収量を差し引いて、合計を実質的にゼロにする）が叫ばれ、「低炭素社会」「脱炭素社会」が目指されるようになりました。サウジアラビアは化石資源を豊富に抱えていますが、現状のままのやり方ではＣＯ２の排出量は変わらず、西側諸国からの圧力は止まらない。さんざん石油を利用しておいて、今度は抑えろと注文を付けてくるわけですから、湾岸諸国がアメリカと距離を置くのも納得です。

そこで、**CO2の排出量を抑えることができる技術を持つ日本とタッグを組み、CO2を排出しないブルーアンモニアという形に変えることで、石油の価値を維持しよう**と考えたわけです。

２０２１年10月31日、イギリスのグラスゴーで国連気候変動枠組条約第26回締約国会議（ＣＯＰ26）が開催されました。就任直後の岸田文雄首相は、その席で２０３０年までにゼロにすることはできないが、既存の火力発電所のＣＯ２を下げていくと表明しました。

おそらくこれは、安倍氏、菅氏が継続して進めていたブルーアンモニアのことを意味しています。新しい技術を駆使して、段階的に排出量を減らし、ほかのアジアの国にも広げていきたいとプレゼンしました。

西側諸国はそんな眉唾ものの技術が実現するか分からない、とブーイングを浴びせました。日本とサウジアラビアが開発をするわけであって、西側諸国に迷惑を掛けるような話ではないのにかかわらず、です。

実際問題として、２０２０年9月28日には、世界初のブルーアンモニア輸送が日本に向けて行われています。そして、２０２３年4月には、サウジアラムコが日本にブルーアンモニアを輸出し、商船三井が輸送。富士石油の袖ケ浦製油所で発電用燃料として使うといったニュースも発表されました。着実に、新しいエネルギーの運用が始まっています。

しかし、同月15〜16日に札幌市で開かれた主要7カ国（G７）気候・エネルギー・環境相会合において、日本が推進するアンモニアを使った石炭火力発電所の脱炭素に対して「石炭の温存になる」と、他国はグラスゴーのときと同様に再び批判を浴びせています。

アンモニア燃料は、燃料電池などにも応用できる汎用性の高いエネルギーです。**サウジアラビアが資源と資金を提供し、日本が技術を提供する。そうした関係性があるのだから、西側諸国の圧力に負けずに、日本はブルーアンモニアの可能性を探り続けてほしい。**日本とサウジアラビアの関係は、ブルーアンモニアがカギを握っていると言ってもいいかもしれません。

アラブの商人は、自分たちでつくるものを売るのではなく、買ってきたものを売り流します。対して日本は職人肌で、モノをつくることに長けている。日本と中東諸国は相性がいい。ましてや湾岸諸国は、従来の石油一辺倒の経済からの脱却を図っている。日本が彼らに提案できることは、まだまだあるはずです。中東のエネルギー資源を考えるとき、不思議と日本の置かれている状況が見えてくる。中東で起きていることは、対岸の火事ではないのです。

柔軟なアイデアで中東に隠されたビジネスチャンスをつかむ

従来、とても保守的だったサウジアラビア。例えば親族女性の居場所を追跡できるアプリ「アブシャー」が普及するなど、女性の権利はいまだ完全に認められているわけではありません。

しかし近年は、改革派であるムハンマド皇太子の指揮のもと、大きく変わろうとしています。サウジアラビアでは女性の服装に制限がありますが、ムハンマド皇太子がアニメ好きということもあり、最近はコスプレイベントなどで好きなキャラクターの格好ができるようになりました。また、女性の運転も解禁されています。

変化が起きているということは、ビジネスチャンスが転がっているということでもあります。特に、日本のアニメ・ゲームコンテンツは中東で高い人気を誇り、面白い取り組みができるのではないかと予想しています。メーカー系は韓国にお株を奪われている状況ですから、**今、日本が最も力を入れるべきはアニメやゲームの知的財産を生かした市場を切り開くこと**です。

サウジアラビアは車社会で、砂漠の空き地にガソリンスタンドがたくさん点在しています。例えば、その横に大きなスクリーンを用意してドライブインシアターを展開したら面白いのではないでしょうか。サウジアラビアは家族単位で行動するため、そこで使われるお金もそれなりに大きい額です。コンテンツホルダーがサウジアラムコと提携して、娯楽の場をつくり出すというのはとても現実的なアイデアだと思います。

また、**アラブ人の見栄っ張りな特性を考慮したビジネスも面白いかもしれません。**

僕の友人が、サウジアラビアで10万円のドレッシングを販売しました。普通だったら絶対に売れるわけがありませんが、彼は前代未聞の超リッチなドレッシングを完売させてしまいました。

そもそもサウジアラビアには、美味しいドレッシングが少なかったことがあります。少し前までは塩、コショウ、レモンを掛けて野菜を食べることが一般的でした。

そのことを僕が食品加工会社に勤める友人に話したところ、「サウジアラビアにドレッシングを売りに行く」と言い始めました。中東の人々はネームバリューを重視しますから、無名の食品加工会社が進出したところで勝ち目なんてありません。しかし、彼は「勝算がある」と言って耳を貸しませんでした。

まず、イスラム教の戒律が厳しいため、きちんとハラル認証を得るために製造ラインをハラル仕様に変えました。当然、そのためのコストが大きく膨らみます。お金と時間をかけたドレッシングを数百円で売ってしまうとリターンが少ない。おまけに、バリューのない新規参入商品が受け入れられる可能性も極めて低いと言えます。

そこで、1本10万円のドレッシングというアイデアを思い付いたわけですが、普通のドレッシングが10万円で売れるわけがありません。日本の伝統工芸が好き、限定品が好き、見栄を張る、衝動買いをする。そうしたサウジアラビア人の特徴を考慮して、ドレッシングの瓶に「有田焼」を使用するというアイデアを思い付きました。

有田焼の白い瓶に入ったドレッシングは、見た目にも鮮やかで高級感を演出するものでした。さらには、そのドレッシングの瓶のくびれた部分に、金沢の金箔を用いた24金を巻き、檜の箱に入れ、さらに西陣織りの帯で巻いてパッケージ化しました。ドレッシングの素材にもこだわり、キャビアやパールパウダーといった高級食材を詰め込みました。
これをドバイで開かれる世界最大の食品見本市「ガルフード」に出品したところ、限定300本があっという間に完売です。

アイデア次第で成功をつかむことができることが分かる、とても夢のある話ではないでしょうか。有田焼の瓶は、使用後に花瓶として再利用できます。きれいに洗って、薔薇を一輪挿してキッチンに置けば、とてもおしゃれなインテリアになります。

そうしたライフスタイルまで提案して、彼は10万円のドレッシングを瞬く間に完売させたわけです。何より、中東の人々にも伝わるネームバリューを持つ有田焼、西陣織りといった要素を加えたことが、彼らの嗜好にマッチした。**ゼロベースから販売せずに、知名度のあるものに乗っかろうという戦略は、中東でモノを売るときにとても大切な視点**だと思います。

そして、**オリジナリティーも忘れてはいけません。**ドバイで旅行会社を運営している僕の友人は、富裕層を対象にしたちょっと変わった日本のツアーを企画しています。

ドバイにはない体験を創出するような、日本の医療や美食だけに特化したプランです。例えば、雪に接する機会がない彼らのために、冬の北陸新幹線のグランクラス1車両を貸し切る。それで金沢に行き、美味しいものを食べてくる。ドバイの人たちは、「よい」と思えるものであればお金を使ってくれるのです。

日本にはたくさんの優れたものがあるし、世界的に大きな知名度を誇るものも少なくありません。日本人はついつい機能性を求めてしまう癖がありますが、海外、少なくても中東で求められているのは希少性です。

よく、「憧れの数値」＝「知っている人の数」－「買える人の数」といわれますが、購買意欲は希少価値と直結します。中東では、プリウスよりも超高級なスポーツカーのほうが圧倒的に人気を集めています。どう考えても、プリウスのほうが機能的で利便性が高いですよね。

ところ変われば品変わる。他国でモノを売る、少なくても中東でモノを売るなら、どう特別感を持たせるかが大事です。ランドクルーザーが今なお高い人気を誇るのは、砂漠の中でも高い走行力を実現する唯一無二の存在だからです。

希少性というのは、「斬新なアイデアを生み出しましょう」ということとは限りません。すでにあるものが、中東においては「とても希少価値が高いもの・こと」に変わってしまう場合もあります。

僕がイラクに行ったとき、「日本の教育がうらやましい」と言われました。また、建設現場を訪れると、ものすごく危ない建て方をしていました。コンクリートもデコボコで、日本のようにきれいな壁面になっていないのです。

僕が、「左官屋さんはいないんですか？」と聞くと、イラクには教える人がいないと嘆いていました。「日本には高い技術があるから教えてほしい」と何度も言われたことを覚えています。医師にもかかわらず、アフガニスタンで用水路をつくり上げた故・中村哲氏は、現地では英雄です。

日本は、モノ作りの国として世界的な認知度があります。もちろん、安心・安全を担保した上での話ですが、**僕たちが当たり前だと思っている日本の技術が世界のいたるところで求められている。**この点において、僕は日本が中国や韓国よりも有利なポジションにあると思っています。**でも、実際には動かない。その結果、中国や韓国に**

追い抜かれてしまいました。

本来は、日本も韓国のように政府が主導しながら、制度をうまく活用することが理想的です。ソフトが優秀でも、ハードが機能しなければその効果は半減してしまう。

その点、中国や韓国は非常に官民の連携が取れていると感心してしまいます。習近平国家主席が握手をし、中東に中国歓迎ムードをつくった上で、中国の企業が進出していくように、日本も外交手腕を発揮しなければいけません。

下地をつくるのは政府の仕事。制度の間口をもっと広げて、例えば「アニメやゲームは成長産業なんだ」ということを他国にプレゼンしていく。そして、政府が予算を投じて切り拓いていかなければいけません。

一時期「クールジャパン」としきりに叫んでいましたが、ただあるものを広げて「これってクールでしょ」と強調しても、諸外国が食指を動かすことはありません。日本のアニメ制作会社やゲーム会社が、どんどん中東に進出しやすいような予算と環境をつくらなければいけないのに、まったくそういったニュースが政府筋からは聞こえてきません。

韓国はサムスンなどのメーカー製品だけではなく、韓流ドラマや映画、K―POPの海外進出を国が後押ししています。アニメこそ日本のプレゼンスが高いですが、アイドルや音楽といったエンタメにおいては歯が立ちません。動かなければ、いずれアニメやゲームコンテンツも二の舞になってしまいます。

現在、サウジアラビアもドバイも大規模なプロジェクトを進めています。街やリゾートの開発を行う中で、日本の外食産業や観光産業が進出するチャンスも十分あると思います。**誰でも一歩を踏み出すのは怖い。だからこそ、その背中を押すのは、やっぱり国の仕事**だと思うのです。

カタール・ヨルダンの「独自性」

アラビア半島にカタールという国があります。僕たち日本人にとっては、FIFAワールドカップ・アメリカ大会のアジア地区最終予選で起きた「ドーハの悲劇」の舞台として認知されている場所だと思います。

僕が初めてカタールを訪れたのは、今から20年ほど前。当時は、某旅のガイドブックに「世界で一番退屈な町」と紹介されるほど、魅力に乏しい国でした。ところが、現在のカタールを訪れると、ドーハの街並みは大発展を遂げ、世界一の航空会社ともいわれるカタール航空をはじめ、名立たる企業を有する国へと成長しています。

第1章で説明したドバイの選択は、他湾岸諸国が石油に傾倒する中で、石油に頼らない、あるいは本来の立ち位置を見直すという姿勢でした。「マスダール・シティ」も、産油国がカーボンゼロの取り組みを率先して実現させようとするものです。

同様に、カタールも石油に頼らないという決断を下した国でした。当初、カタールも石油を掘っていたのですが、それ以上に天然ガスの埋蔵量が多かった。石油はほかの湾岸諸国でも採れますが、天然ガスはカタールだけの強みになる。そこで、カタールは天然ガスで勝負する方針に転換します。

天然ガスは、ロシアからドイツへと運ぶパイプライン「ノルドストリーム」に代表されるように、気体で運ぶことが一般的です。ガスなので、どうしてもパイプラインを整備する必要があるわけです。

ところが、今後天然ガスの需要が高まるエリアを考慮したとき、カタールが狙いを定めたマーケットは、中国をはじめとした東アジアと東南アジアでした。でも、さすがに遠過ぎます。パイプラインをつくるにしても、ロシアからドイツの比ではありません。

「だったら液体にしてタンカーで運べばいいじゃないか」

なんとカタールは、天然ガスを液化するための技術に先行投資を行ったのです。今では、液化天然ガス（ＬＮＧ）は当たり前の存在になりましたが、カタールはいち早く液化するための技術やＬＮＧタンカーに目を付け、ＬＮＧの分野において世界をリードするようになります。

こうして**カタールは、世界でも有数の低コストかつ高品質のＬＮＧを世界に送り届けるＬＮＧ大国として台頭**し、そこで得た豊富な資金をカタールの政府系ファンド（ＳＷＦ）を介して、目覚ましい発展を遂げていきました。そして、中東初のＦＩＦＡワールドカップ開催を可能にするほどのプレゼンスを発揮するまでにいたったのです。

ドバイもカタールも、「石油」という大きな流れの中で、自分たちだけの戦略を貫いてきました。こうした「独自性」を日本は見習うべきです。日本人は「右へ倣え」を好みますが、独自性を持ったサバイバル術という発想も取り入れるべきです。

独自性という視点では、国の動きだけではなく、企業からも見て取れます。ドーハに拠点を置く国営衛星放送のテレビ局「アルジャジーラ」。設立は意外に古く

1996年ですが、その名を知らしめたのは、2001年9月11日に起きた、アメリカ同時多発テロの頃からです。

テロの首謀者であるアルカーイダのウサーマ・ビン・ラーディンの声明の独占放送に始まり、アフガニスタン紛争を現地中継するなど、既存のメディアにはない報道スタイルで注目を集めていきます。その結果、テロ組織とつながりがあるのではないかといわれるようにもなるのですが、国営衛星放送にもかかわらず独立した報道機関という唯一無二の放送局として認知されていきます。

余談ですが、僕も2回ほど出演したことがあります。いたって普通のテレビ局で、まったく物々しさはありませんでした。


ヨルダンで創業された、アラメックスという企業についても触れておきましょう。現在は、UAEのドバイに拠点を置く企業ですが、ヨルダンからこんなユニークな発想を持った企業が生まれたことを、ぜひ知ってほしいと思います。

アラメックスは、ヨルダン人のファディ・ガンドゥールという人物が創業した宅配便、荷物配送会社です。言わば、「中東のクロネコヤマト」のような企業です。

もともとは、配送エリアが限られた小さな物流会社でした。ある日、アメリカの物流大手FedExから「中東におけるパートナーシップを結んでほしい」とオファーが届きます。中東はヨーロッパとアジアとアフリカのつなぎ目にあり、物流のポテンシャルも極めて高いわけです。FedExは中東進出を試みたものの、地の利がない。そこでアラメックスを足掛かりとして進出しようと計画しました。

そうして、アラメックスは、中東のパートナーとしてFedExにたくさんの利益をもたらしました。ところが、「中東があまりにも儲かる」ということで、FedExは突然パートナー契約を解消し、自分たちだけで中東の物流を手掛けるようになりました。

当然、ファディ・ガンドゥール会長は怒ります。FedExに貢献してきたにもかかわらず、用がなくなったらクビを切るとは何事だと。そして、「わかった。われわれは、世界のどこの物流会社も絶対に運べないようなところにモノを運ぶ会社になる」と決意します。

世界には、秘境と呼ばれるような場所がたくさんあります。そういったところにも人は住んでいます。サハラ砂漠のオアシス、インドの山奥、道路がない場所、どんなところにでも「アラメックス」は、モノを届けるというわけです。

届けるモノの中には、食料や薬品もある。どんなところに住む人にも、必要なモノを届けたい。誠意が伝われば共感する人が現れます。やがて、ガンドゥール会長に共鳴する人は増え、アフリカのスーダンでは、法律を変えたり道路を整えたりして、物流が行き渡るようにサポートが始まりました。「アラメックス」の理念は世界中に広がり、ついにはアラブ拠点の企業として、初めてナスダック証券取引所に上場するまでの巨大企業へと成長しました。

アラメックスが主導する「グローバルディストリビューションアライアンス」という、世界の物流会社約40社が加盟する組織があります。日本では「近鉄エクスプレス」が加盟しており、同社に「アフリカの奥地にある○○村まで、この薬を届けてください」と依頼すれば、バケツリレー方式で届けることができます。アラメックスは、本当に世界の裏側までモノを届ける企業なのです。

アメリカのジャーナリストであるトーマス・フリードマンが書いた『フラット化する世界』(上下巻、伏見威蕃訳、日本経済新聞出版)という名著があります。彼は本の中で、インターネットが発達することで、世界はフラットになっていくという旨を書いています。

ただし、見通しが良くなる中で生き残るためには、突き出なければいけない。**突き出るためには、強烈な個性をとにかく磨く**。そして、磨いた個性をインターネットで世界中に発信すること。これこそが、個人も企業も国家も生き残る術である。そうフリードマンは喝破しています。

フラット化する世界の中で、強烈な個性をつくり上げたのがドバイやカタール、アラメックスです。**右に倣えでは、生きてはいけない**。中東は石油に依存するというフラットな世界から突き出るために、新たな局面を迎えている。近い将来、アラメックスのような企業が、中東諸国から次々と生まれても、この本を読んでいるみなさんはきっと驚かないでしょう。

アゼルバイジャンで号泣した日

アゼルバイジャンという国をご存じでしょうか。最近では、隣国アルメニアの係争地となっているアゼルバイジャン領「ナゴルノ・カラバフ」で起きた軍事衝突がニュースになりました。

この国は中東ではなく、トルコの東に位置するコーカサス地方の一国です。しかし、イスラム教を国教と定めていること、そして石油・天然ガスが国の根幹産業の一つであることなどから、中東の国々と似た環境を持つ国でもあります。

僕はアゼルバイジャンで、「ジャパンエキスポ」というイベントを2回開催したことがあります。この国に関心を持ったきっかけはアブダビ投資庁のＣＩＯ（最高情報責任者）との会話でした。僕がドバイに通う中で彼と仲よくなり、あるとき一緒にご飯を食べていると、「アゼルバイジャンはとても面白い国だから行ってみるといい。

われわれも投資をしているくらいだ」と話してくれました。
アブダビ投資庁は、成長が見込める周辺国のリサーチ力に関しては世界トップレベルです。そのCIOが助言するくらいですから、僕はすぐに「視察をしてみる価値がある」と判断しました。

2008年、初めてアゼルバイジャンを訪れました。「これから成長が期待できる魅力的な国だ」と感じ、そこから定期的にアゼルバイジャンを訪問するようになります。そして、2014年に第1回「ジャパンエキスポ」を開催したのですが、この6年の間に着実に準備や計画を練っていたわけではありませんでした。僕の心が衝動的に突き動かされたのは、開催のわずか1年前でした。

2013年12月、「和食」がユネスコの人類無形文化遺産に登録されます。背景には、東日本大震災からの復興というメッセージも込められていて、世界的に大きな注目を集めるようになりました。この決定がなされた、ユネスコ無形文化遺産保護条約の第8回政府間委員会が行われたのが、アゼルバイジャンの首都・バクーでした。

何度も通う中で、現地の人から「次来るときは日本の○○を買ってきてほしい」など頼まれることが多く、アゼルバイジャンの人々は日本の文化に高い関心があるのだなと感じていました。和食に対する興味も強く、無形文化遺産に登録された際は、ショッピングモールなどで「無形文化遺産、おめでとう」といったポスターがたくさん貼られている状況でした。

ところが、肝心の和食を楽しめる飲食店が、首都であるバクーにすら一軒も存在していませんでした。ものすごく関心や興味が高まっているにもかかわらず、一軒もない。「これは大きなチャンスなのではないか」と感じるのは当然でしょう。

そこで僕は、親しくなったアゼルバイジャン人を頼りに、和食をテーマにしたイベントを開催できないかと打診しました。「ぜひやってほしい」という言葉を引き出した一方で、当時の日本にアゼルバイジャンにアンテナを張っている人はほとんどいません。僕は企業や飲食店を一本釣りで口説き、なんとか30名ほどを集めて、「ジャパンエキスポ」開催までこぎつけました。

決して大きな人数ではありませんが、アゼルバイジャンの要人たちは熱心に耳を傾けてくれ、「日本のアニメやゲーム、ファッションなどにも興味があるから、幅広いジャンルの日本のカルチャーを知る機会にしたい」などと、たくさんのアイデアも提言してくれました。そうして当初「和食・地酒エキスポ」という名目で開催する予定だったイベントは、彼らとのディスカッションを経て、「ジャパンエキスポ」と名前を変え、開催することになったのです。

日本に対していい印象を抱いている国の人々は、びっくりするくらい僕たちの意見に耳を傾けてくれます。政府の高官、企業の要人も、「こんなことをしたら面白いのではないか?」というプレゼンを真剣に聞いてくれます。そのアイデアに興味を持ってくれたら、「いくらでも人は紹介するから、やってほしい」と、ものすごくスピーディーに物事は進んでしまいます。だから

第1回ジャパンエキスポ

こそ僕は、新興国が面白いと思うし、これから注目すべき国はどこか、いつもアンテナを張っています。**日本人の多くが目を向けない親日の国は、人脈であり金脈**なのです。

小規模ながら第1回の「ジャパンエキスポ」が好評を博したことで、大統領府の局長やアゼルバイジャン国営石油の副会長と面識を持つことができ、2017年の第2回開催も実現しました。このときは規模も大幅に拡大し、日本からは約230名が参加。日本の複数のメディアでも取り上げられるほど盛況でした。アゼルバイジャンのメディアからも大々的に取り上げていただ

第２回ジャパンエキスポ

き、国営テレビ局から密着されるなど、街を歩くと僕のことを指差すアゼルバイジャン人もいるくらい話題になるほどでした。

ジャパンエキスポを巡って、今でも忘れられない出来事があります。

先述した大統領府の局長が、蜂蜜を作っているファームやワインのワイナリーなどを案内してくれ、最後に前大統領であるヘイダル・アリエフのお墓に献花をしに行った後のことです。一緒にランチを食べていると、突然、局長が泣き始めたのです。

アリエフ前大統領は、ナゴルノ・カラバフ紛争（１９９４年停戦合意）によって壊滅状態にあったアゼルバイジャン経済の立て直しに奔走した人物です。停戦合意後（戦後）にボロボロになった自国経済を目の当たりにして、どこを目指せばいいのかと真剣に考えたといいます。「貧しかったアゼルバイジャンをなんとかして豊かにしたい」。その目標をどこに定めるかと思案した結果、敗戦国から先進国へと成長した日本を目指すべきだと結論付けたそうです。

そして、１９９８年、側近20名を引き連れてヘイダル・アリエフは来日。日本各地をくまなく視察することになります。

原爆を落とされ、世界最貧国の一つにまで落ち

てしまった国にもかかわらず、産業が発達し、都市がいたるところにあり、教育も行き届き、さらには勤勉で礼儀正しい日本人の姿に、大きな感銘を受けたそうです。

帰国したヘイダル・アリエフは、国民の前で**「日本のような国造りを目指すべき」と公言した**といいます。そのためには、日本とアゼルバイジャンはもっと積極的に交流をし、人的交流も行わなければいけない。1人でも多くの日本人に来てほしい。そうした熱意から、日本人だけはビザを無料にするという異例の制度を開始します。**世界で唯一、今でも日本人だけはアゼルバイジャン入国の際に、お金がかかりません。**

局長は、「私は20名の側近のうちの1人だった」と教えてくれました。「ヘイダル・アリエフの言葉を常に近い場所で聞いていた。私はいつか彼の夢が叶うことを夢見ていた。石田さんが「ジャパンエキスポ」を開催し、こんなに多くの日本人がアゼルバイジャンに興味を持ってくれたことで、前大統領の夢は叶った」と続けました。

その言葉を聞いて、僕は人目もはばからず号泣してしまいました。局長の言うような考えは一切なく、「ビッグチャンスだ」と思っただけです。動機と結果は、必ずしもリンクするとは限らない。でも、はじめの一歩を踏み出さないと何も始まりません。

僕は、局長の涙を見て、一歩踏み出してよかったなと心から喜びを感じました。

ジャパンエキスポに関して、もう一つ、最高の思い出があります。

第2回のジャパンエキスポを開催した2017年は、東日本大震災に端を発する福島第一原発事故の影響もあり、福島県の食品に対して多くの国が拒否反応を示す厳しい状況が続いていました。僕は、福島県の食材の誤解を解く、あるいは理解を得ることができればいいなと思い、アゼルバイジャンの要人に「福島県の食品や食品関連企業を誘致してもいいか？」とお願いしました。

すると、「税関長を紹介するから、聞いてみてくれ」と言われたのです。彼に話をすると、びっくりするほど迅速なレスポンスで「問題ない」と言います。本当に大丈夫かと思いながらも言質は取ったので、僕は福島県庁に向かい、経緯を含めジャパンエキスポについて説明しました。

ところが、県庁の担当者は「信じられない。もしそうであれば大変ありがたいことですが、本当に問題ないのか、アゼルバイジャンサイドから証明できる文書のようなものを取ってきてほしい」と言います。そうして再び税関長に連絡してその旨を伝えると、彼は二つ返事でアゼルバイジャン共和国のスタンプを押したオフィシャルレターを作ってくれました。日本では考えられないようなスピード感です。

「これでどうでしょう?」と文書を見せると、福島県庁の人たちはとても喜んでくれました。そこから県内の企業に声を掛け、7社くらいが第2回ジャパンエキスポに参加してくれました。まだ、福島県産の食品に対して疑心暗鬼の国が多い中、ジャパンエキスポのためなら、と動いてくれた。彼らの熱量の一端が分かるかと思います。

たった1人でもやろうと思ったら、彼らは共鳴してくれる。もちろん、物事が動き出していくときはものすごくエネルギーが必要だし、たくさん汗もかきます。でも、こんなに生きがいを感じることはありません。

僕は政府の要人でも企業の重役でもありません。アゼルバイジャンの人たちからすれば、よく分からない日本人に違いない。だけど、求められているものを感じ取り、それを実際に行動に起こせば、ボーダーなんてすぐに飛び超えることができるのです。

今でもアゼルバイジャンとの交流は続いています。2023年10月には50人ほどの日本人を連れて、新しい交流を生み出す機会を設けてきます。まだまだ面白いことができると思っています。実際に自分の目で見て、そして自分の情熱に乗っかってみる。「簡単じゃないでしょ?」と、多くの人が言います。「でも、難しくもないよ」と、僕は伝えたいのです。

ビジョナリーな指導者に学ぶ

2023年7月に、岸田首相はサウジアラビア、UAE、カタールの3カ国を訪問し、帰国後の会見で、「UAEの人口は1000万人であるものの、自国民は100万人で900万人の外国人と共生している。外国人を大量に受け入れて国を成り立たせている」といったことを口にしていました。

この本を読んだみなさんなら、「何を言っているの？」と感じたのではないでしょうか。UAEは、エコノミックフリーゾーンという特区を集積させ、政府系ファンドによって投資を行うことで、そうしたケースを成り立たせている。**治安もよければ、外国人が暮らしやすい国を造り上げることに成功したのは、アイデアと実行力のたまもの**です。

ドバイはフリーゾーンをつくることで、外国企業をたくさん誘致し、外国人に経済を回してもらう仕組みを築きました。そして、ドバイに滞在する外国人は、エミレーツ航空（航空会社）、エマール・プロパティーズ（不動産）、ジュメイラ・インターナショナル（高級ホテルグループ）といった政府系ファンドの下に位置する企業にお金を落とす。この両輪が回ることで、ドバイは大きく豊かになっていったのです。

それに比べて日本はどうでしょうか。

アイデアと言えば、まず増税。国民からお金を集め、軍事予算や少子化対策にあてると喧伝する。その原資を国家自らがビジネスを運用してお金を増やしていくという発想はないように思えます。

日本のリーダーは、一体、何回検討を重ねる気なのでしょうか。国民のことを考え将来を見据えている国と、国民を無視して目先のものに追われている国では、リーダーの言葉一つ取っても、まったく違うということが分かると思います。

アイデアを実行に移すのです。何回検討を重ねたところで、一歩も踏み出さなければ、何も変わりません。

本書のさまざまな例で見たように、指導者が変わるだけで中東諸国は劇的に様変わりしています。強烈な個性を持つため強権体制ともいわれますが、国を引っ張っていく、よみがえらせるには、彼らのような度量は絶対に必要だと思います。

中東の国家リーダーたちは、驚くほどに実行力と決断力とビジョンを持っています。彼らはX（旧：Twitter）でも自らの声を発信しており、フォローすると中東のスピードがいかに速いかが分かると思います。裏を返せば、検討ばかりしている我が国がいかにのんびりしているのかも分かります。

彼らはビジョナリーな指導者で、国家の20年後30年後、100年後をにらんで行動しています。そのため、西側諸国が自分た

中東のリーダーたちのXアカウント

ドバイ	ムハンマド首長	@HHShkMohd
サウジアラビア	サルマン国王	@KingSalman
サウジアラビア	ムハンマド皇太子	@HRHMBNSALMAAN
カタール	タミム首長	@TamimBinHamad
UAE	ムハンマド大統領	@MohamedBinZayed
エジプト	シーシー大統領	@AlsisiOfficial

※2023年10月時点

ちの価値観を中東諸国のリーダーに押し付けようとしても、おそらくもう通用しない。イニシアチブを取られないために、彼らは改革の道を選び、エネルギーだけに頼らない新しい中東像、ひいては第三世界経済圏をつくろうとしているのです。

独裁国家、強権体制と聞くと、僕たち日本人は悪い印象を抱くと思います。実際、国民を苦しめ、武力にモノを言わせるような独裁者は論外です。一方で、国民のことを考え、一心不乱に自分が正しいと思ったことを貫き通すリーダーの姿は、決して「非」であると決め付けることはできないと思います。

小国に過ぎなかったシンガポールが、リー・クアンユー独裁体制のもとで世界有数の金融大国として成長した事実や、ドバイを世界屈指の大都市へと発展させたムハンマド首長の改革力を見ると、「うらやましい」とすら思ってしまうのは、僕だけではないはずです。

中東の国々は、成長や繁栄といったポジティブ側面においても、戦争やテロといったネガティブ側面においても、加速度的に変化しています。

「織田がつき 羽柴がこねし天下餅 座りしままに 食ふは徳川」

織田信長・豊臣秀吉・徳川家康を表現した落首（作者不明の風刺歌）がありますが、中東を当て込むのなら、「イギリスがつき アメリカがこねし天下餅」といったところでしょうか。その100年が終わり、座りしままに 食ふのはどこか。このまま行けば中国になるのでしょう。日本は指をくわえて見ているだけでいいのか？ 僕はそう問いたいのです。

日本をオワコン（終わったコンテンツ）と揶揄する人が一定数います。確かに、そういう一面もあるかもしれません。ですが、日本という国は、世界で初めて核爆弾を落とされ、焼け野原になったにもかかわらず、アメリカに次ぐ経済大国にまで成長したという背景を持ちます。戦後復興というのは、新興国が大きな関心を寄せているテーマです。

僕が足を運んだ国で言えば、ベトナム、イラク、アゼルバイジャン、スーダン、ナイジェリアといった国の人たちが、日本をお手本にしていると話してくれました。日本人の背中を見ているわけです。大統領府局長、経済開発大臣、鉱山商、いろいろな現地の人たちと話しました。初めて知る話をたくさん聞きました。知らない情報というのは、原石です。磨けば、ものすごく価値のあるものに変わる可能性があります。

アゼルバイジャンでは光を放つ体験に変わりましたが、一生懸命アイデアを出して、企画書をまとめたにもかかわらず、結局動かない案件もたくさんありました。玉石混交です。でも、知らないとそれが玉か石かも分かりません。

日本の外で何が起きているかなんて、やっぱり分からないと思います。ましてや、今は情報が溢れていて、国内の情報を追うこと、その情報の真偽の判断をすることも難しくなっている。その中で、僕は光と影、双方の情報を出しつつ、世界の新興国の課題を考えるチャンネルとして、「越境3・0チャンネル」を開始しました。すると、たくさんの知的好奇心を持つ人たちがいることが分かりました。みなさん、日本を何とかしたいという熱い思いを持っているのです。

中東をテーマに扱うと、多くの人がコメントをくれ、「もっと情報が知りたい」と前のめりになってくれます。そういう関心を抱いてくれる人がたくさんいるということは、未来があるということだと思います。決してオワコンなんかではない。そういう仲間がいる限り、僕はこれからも「越境3・0チャンネル」を通して、世界で何が起きているかを発信し続けます。

読者特典

本書をお読みいただいた あなたへ
著者・石田和靖より感謝の気持ちを込めて

本書がもっとわかりやすく面白くなる
限定解説動画をお届けします！

特典のご応募はこちらから

※特典の配布は予告なく終了することがございます。予めご了承ください。
※読者特典に関するお問い合わせは下記までお願いいたします。
https://bookdam.co.jp/contact/

YouTube
【越境3.0チャンネル】

毎日20時に
更新！

石田和靖が最新の国際情勢や世界の情報をお届けしております。世界の情報をもっと知りたい！と思われた方はぜひチャンネル登録をお願いいたします。

著者

石田 和靖（いしだ・かずやす）

1971 年生まれ、東京都小金井市出身。
東京経済大学中退後、会計事務所に勤務し、中東～東南アジアエリアの外国人経営者の法人を多く担当。駐日外国人経営者への財務コンサルティングを多く行う。
2003 年に会計事務所から独立し、(株)ザ・スリービーを設立。
アゼルバイジャン、中国、スーダン、モンゴル、アイスランド、香港、タイ、UAE、サウジアラビア、ナイジェリアなど、約 50 カ国以上を訪問し、各国政府や企業などと直接情報交換を交わす。
2009 年、世界経済の情報発信基地「ワールドインベスターズカフェ」を六本木にオープン。同店特設スタジオにて、生放送ウェブ番組を配信。年末には、東京証券取引所やイスラム開発銀行、各国大使館ほか総勢 100 社近くの銀行・証券会社と連携した「ワールドインベスター TV24 時間テレビ」を放送。
さらに HIS とコラボで、付加価値の高い大人のためのビジネス視察旅行を、これまでに数十回開催。その後、世界に羽ばたく人たちのためのクロスボーダーコミュニティ「越境会」を発足、会長に就任。会員数は 2000 名を超える。
2017 年、アゼルバイジャン共和国で、日本人初の日本商品展示市である JAPAN EXPO を主催。1 万人を超えるアゼルバイジャン人が詰めかけ大好評を得る。
2018 年以降、海外政府と連携した新興国の課題解決プロジェクト「越境 3.0 オンラインサロン」を主宰。
最新の世界情勢を毎日夜 8 時に更新している YouTube チャンネル「越境 3.0 チャンネル」は、再生回数 4000 万回、チャンネル登録者数 20 万人を超える人気チャンネル。
著書に『オイルマネーの力』(アスキー・メディアワークス)など、計 11 冊。グローバル・多様性・行動力などのテーマでの講演実績多数。テレビ・ラジオ出演多数。
現在は企業向けの YouTube や動画マーケティングのコンサルティングも行い、ベネッセが手掛ける通信講座 Udemy コンテンツ「即実践講座:YouTube を導入して伸ばす方法」は Udemy 最高評価賞、ベストセラーを授与。

第三世界の主役「中東」　日本人が知らない本当の国際情勢

2024年 2 月 6 日　第1刷発行
2024年 3 月15日　第4刷発行

著　者　　石田和靖
発行者　　菊池大幹
発行所　　株式会社ブックダム
〒171-0022　東京都豊島区南池袋1-16-15 ダイヤゲート池袋5階
https://bookdam.co.jp
TEL:03-5657-6744(代表)

発売元　　日販アイ・ピー・エス株式会社
〒113-0034　東京都文京区湯島1-3-4
TEL:03-5802-1859　FAX:03-5802-1891

ブックデザイン　池上幸一
校正　株式会社文字工房燦光
編集協力　我妻弘崇
DTP　VPデザイン室
印刷・製本　ベクトル印刷株式会社
編集　桐戸高史

ISBN 978-4-911160-01-5